PAZ ☛ *CONJUNCIONES Y DISYUNCIONES*

CUADERNOS DE JOAQUÍN MORTIZ

OCTAVIO PAZ

Conjunciones
y disyunciones

MÉXICO, 1969

Primera edición, diciembre de 1969
D. R. © Editorial Joaquín Mortiz, S. A.
Guaymas 33, México 7, D. F.

Mi amigo Armando Jiménez me propuso que escribiese el prólogo de su libro *Nueva picardía mexicana*. Acepté y no había escrito sino unas cuantas páginas cuando me di cuenta de que, en lugar de ceñirme al tema, me perdía en vagabundeos y divagaciones. Decidí seguir a mi pensamiento sin tratar de guiarlo y el resultado fue este texto: comienza por ser un comentario al libro de Jiménez pero pronto se interna por regiones distintas, aunque colindantes con la picardía. Lo he dividido en cuatro partes, que pueden describirse así: *1* y *2,* Reflexiones sobre una metáfora y los términos o caras que la componen; *3* y *4,* seguidas de ejemplos que muestran cómo dichos términos se asocian o disocian.

O. P.

1. LA METÁFORA

Hay una relación indudable, aunque no enteramente aclarada, entre *pícaro, picardía* y *picar*. Al principio, según Corominas, se llamaba pícaro a los que se ocupaban en los menesteres y oficios que designa el verbo picar: pinche de cocina, picador de toros, etc. Más tarde la palabra pasó al lenguaje del hampa, como "denominación de otras actividades menos honestas pero en las que también se *picaba* o se *mordía*. ¿Hará falta recordar al *mordelón* mexicano?" Si es pícaro el que pica, picotea, corta, hiere, muerde, espolea, enardece, irrita: ¿qué es picardía? Por una parte, es una acción de pícaro; por la otra, un chiste, un cuento, un dibujo humorístico y satírico. El acto real y el acto simbólico: en un caso, se pica la piel o la bolsa ajena; en el otro, el pinchazo es imaginario.

La *Nueva picardía mexicana* de Armando Jiménez es un libro de imaginación; mejor dicho, es una colección de las fantasías y delirios verbales de los mexicanos, un florilegio de sus picardías imaginarias. Todas las flechas, todos los picos y aguijones del verbo picar, disparados contra un blanco que es, a un tiempo, indecible e indecente. ¿Indecible por indecente o indecente por indecible? Ya veremos. Por lo pronto, subrayo que si la picardía es imaginaria, su objeto no lo es. La agresión es simbólica; la realidad agredida, aunque innominada e innominable, es perfectamente real. Precisamente porque es "aquello de lo que no debe hablarse", todos hablan. Sólo que hablan con un lenguaje cifrado o alegórico: nada menos realista que los "cuentos colorados" y los "albures". La picardía es un territorio habitado por la alusión y la elusión. El libro de Jiménez es un repertorio de expresiones simbólicas, un catálogo de metáforas populares. Todas esas figuras de lenguaje aluden invariablemente a una misma y única realidad; su tema es un secreto conocido por todos pero que no puede men-

11

cionarse con su nombre en público. Así, el primer mérito de Jiménez no es tanto su erudición en materia de picardía, con ser mucha, cuanto el atreverse a decir en voz alta lo que todos repiten en baja. Ésta es la gran y saludable picardía de *Nueva picardía mexicana.*

Los mexicanos y, tal vez, también los otros hispanoamericanos, no podemos sino reconocernos en los cuentos y dichos de este libro. La sorpresa que nos produce su lectura no viene de la novedad —aunque contenga muchas cosas nuevas o desconocidas— sino de la familiaridad y la complicidad. Leerlo es participar en el secreto. ¿En qué consiste ese secreto? Este libro nos enseña nuestra otra cara, la oculta e inferior. Lo que digo debe entenderse literalmente: hablo de la realidad que está debajo de la cintura y que la ropa cubre. Me refiero a nuestra cara animal, sexual: al culo y los órganos genitales. No exagero ni invento; la metáfora es tan antigua como la de los ojos "espejos del alma" —y es más cierta. Hay un grabado de Posada que representa a un fenómeno de circo: una criatura enana vista de espaldas pero el rostro vuelto hacia el espectador y que muestra abajo, en el lugar de las nalgas, *otro* rostro. Quevedo no es menos explícito y uno de sus escritos juveniles ostenta este título: *Gracias y desgracias del ojo del culo.* Es una larga comparación entre el culo y el rostro. La superioridad del primero consiste en tener sólo un ojo, como los cíclopes que "descendían de los dioses del ver".

El grabado de Posada y la metáfora de Quevedo parecen decir lo mismo: la identidad entre el culo y la cara. No obstante, hay una diferencia: el grabado muestra que el culo es cara; Quevedo afirma que el culo es como la cara de los cíclopes. Pasamos del mundo humano al mitológico: si la cara es bestial como el culo (pues esto es lo que nos dice Posada), la bestialidad de ambos es divina o demoniaca. Para saber cómo es la cara de los cíclopes, lo mejor es preguntárselo a Góngora. Escuchemos a Polifemo en el momento en que, al contemplarse en el agua, descubre su rostro:

> miréme y lucir vi un sol en mi frente
> cuando en el cielo un ojo se veía:
> neutra el agua dudaba a cual fe preste:
> o al cielo humano o al cíclope celeste.

Polifemo ve su cara disforme como *otro* firmamento. Transformaciones: el ojo, del culo: el del cíclope: el del cielo. El sol disuelve la dualidad cara y culo, alma y cuerpo, en una sola imagen, deslumbrante y total. Recobramos la antigua unidad pero esa unidad no es ni animal ni humana sino ciclópea, mítica.

No vale la pena repetir ahora todo lo que el psicoanálisis nos ha enseñado sobre la lucha entre la cara y el culo, el principio de realidad (represivo) y el principio de placer (explosivo). Aquí me limitaré a observar que la metáfora que he mencionado —en su forma ascendente y en la descendente: el culo como cara y la cara como culo— alternativamente sirve a uno y otro principio. En un primer momento, la metáfora *descubre* una semejanza; inmediatamente después, la *recubre,* ya sea porque el primer término absorbe al segundo o a la inversa. De una y otra manera la semejanza se disipa y la oposición entre culo y cara reaparece, reforzada. En el primer momento, la semejanza nos parece insoportable —y por eso reímos o lloramos; en el segundo, la oposición también resulta insoportable —y por eso reímos o lloramos. Al decir que el culo es como otra cara, negamos la dualidad alma y cuerpo: reímos porque hemos resuelto (resoldado) la discordia que somos. Sólo que la victoria del principio de placer dura poco; nuestra risa, al mismo tiempo que celebra la reconciliación del alma y del cuerpo, la disuelve, la vuelve irrisoria. En efecto, el culo es serio; el órgano de la risa es el mismo que el del lenguaje: la lengua y los labios. Al reírnos del culo —esa caricatura de la cara— afirmamos nuestra separación y consumamos la derrota del principio de placer. La cara se ríe del culo y así traza de nuevo la raya divisoria entre el cuerpo y el espíritu.

Ni el falo ni el culo tienen sentido del humor. Sombríos, son agresivos. Su agresividad es el resultado de la represión risueña de la cara. Baudelaire lo descubrió mucho antes que Freud: la sonrisa y, en general, lo cómico, son los estigmas del pecado original o, para decirlo en otros términos, los atributos de nuestra humanidad, el resultado y el testimonio de nuestra violenta separación del mundo natural. La sonrisa es el signo de nuestra dualidad; si a veces nos burlamos de nosotros mismos con la acrimonia con que nos burlamos diariamente de los otros es porque, efectivamente, somos siempre dos: el yo y el *otro*. Pero las emisiones violentas del falo, las convulsiones de la vulva y las explosiones del culo nos borran la sonrisa de la cara. Nuestros principios vacilan, sacudidos por un temblor psíquico no menos poderoso que los temblores de tierra. Agitados por la violencia de nuestras sensaciones e imaginaciones, pasamos de la seriedad a la carcajada. El yo y el *otro* se funden; y más: el yo es poseído por el *otro*. La carcajada es semejante al espasmo físico y psicológico: reventamos de risa. Esta explosión es lo contrario de la sonrisa y no estoy muy seguro de que pueda llamársela cómica. La comicidad implica dos, el que mira y el mirado, en tanto que al reír a carcajadas la distinción se borra o, al menos, se atenúa. La risotada no sólo suprime la dualidad sino que nos obliga a fundirnos con la risa general, con el gran estruendo fisiológico y cósmico del culo y el falo: el volcán y el monzón.

La carcajada es también una metáfora: la cara se vuelve falo, vulva o culo. Es el equivalente, en el nivel psicológico, de lo que son en el nivel verbal las expresiones de poetas y satíricos. Su explosión es una exageración no menos exagerada que la imagen poética de Góngora y la agudeza de Quevedo. Una y otras son el doble de la violencia fisiológica y cósmica. El resultado es una trasmutación: saltamos del mundo de la dualidad, regido por el principio de realidad, al del mito de la unidad original. Así pues, la risa loca no es únicamente una respuesta al principio de placer ni tampoco su copia o reproducción, aunque sea ambas cosas: es la sublimación, la metáfora del placer. La carcajada es una síntesis (provisional) entre el alma y el cuerpo, el yo y el *otro*. Esa síntesis es una suerte de transformación o traducción simbólica: somos otra vez como los cíclopes. *Otra vez:* la carcajada es un regreso a un estado anterior; volvemos al mundo de la infancia, colectiva o individual, al mito y al juego. Vuelta a la unidad del principio, antes del tú y del yo, en un nosotros que abarca a todos los seres, las bestias y los elementos.

La otra respuesta a la violencia carnal es la seriedad, la impasibilidad. Es la respuesta filosófica, como la carcajada es la respuesta mítica. La seriedad es el atributo de los ascetas y de los libertinos. La carcajada es una relajación; el ascetismo, una rigidez: endurece al cuerpo para preservar al alma. Puede parecer extraño que cite al libertino al lado del asceta; no lo es: el libertinaje también es un endurecimiento, primero del espíritu y después de los sentidos. Un ascetismo al revés. Con su penetración habitual, Sade afirma que el filósofo libertino ha de ser imperturbable y que debe aspirar a la insensibilidad de los antiguos estoicos, a la ataraxia. Sus arquetipos eróticos son las piedras, los metales, la lava enfriada. Equivalencias, ecuaciones: falo y volcán, vulva y cráter. Parecido al terremoto por el ardor y la furia pasionales, el libertino ha de ser duro, empedernido como las rocas y peñascos que cubren el llano después de la erupción. La libertad, el estado filosófico por excelencia, es sinónimo de dureza.

Extraña coincidencia —mejor dicho: no tan extraña— con el budismo *Vajrayāṇa* que concibe al sabio y al santo, al adepto que ha alcanzado simultáneamente la sabiduría y la liberación, como un ser hecho a la imagen del diamante. *Vajrayāṇa* es la vía o doctrina del rayo y del diamante. *Vajra* designa al rayo y, asimismo, a la naturaleza diamantina, invulnerable e indestructible, tanto de la doctrina como del estado de beatitud que conquista el asceta. Al mismo tiempo, en el rito y el lenguaje tántricos, *vajra* alude al órgano sexual masculino. La vulva es la "casa de *vajra*" y también la sabiduría. Series de metáforas compuestas por términos que pertenecen ora al mundo material, corpóreo, ora al mundo espiritual, incorpóreo: el rayo y el falo, la vulva y la sabiduría, el diamante y la beatitud del yogín liberado. La serie de términos materiales culmina en una metáfora que identifica a la descarga del fuego celeste con la dureza del diamante: petrificación de la llama; la serie de términos psíquicos se resuelve en otra imagen en la que el abrazo sexual es indistinguible del desasimiento del asceta durante la meditación: transfiguración de la pasión en la esencia. Las dos metáforas terminan por unirse: fusión del macrocosmos y el microcosmos. En todas las civilizaciones aparecen parejas de conceptos opuestos tales como los que acabo de mencionar. Lo que me parece significativo en el budismo tántrico es que esa dualidad se manifiesta precisamente en la polaridad fuego/diamante y erotismo/desasimiento. No menos notable es la final resolución de esa doble oposición por el predominio del bimembre, diamante/desasimiento. El Buda supremo es *Vajrasattava,* "esencia diamantina" en sánscrito; los tibetanos lo llaman el "Señor de las piedras". Lo sorprendente es que en su origen *vajra* (el rayo) fue el arma de Indra, el jocundo y disoluto dios védico. Por lo visto hay un arco que une, por encima de los siglos, a los dos polos del espíritu humano. Un arco que, en este caso, va de Indra, dios de la tempestad y la ebriedad, dios de la terrible carcajada que precipita a todos los elementos en la confusión primordial, al Buda impasible, imperturbable y adamantino, abstraído en la contemplación de su resplandeciente vacuidad. Del himno védico al tratado de meditación, del rayo al diamante, de la carcajada a la filosofía. El tránsito del fuego a la piedra, de la pasión a la dureza, es análogo en la tradición religiosa de la India y en

16   *...los términos de la metáfora* [*p. 12*]

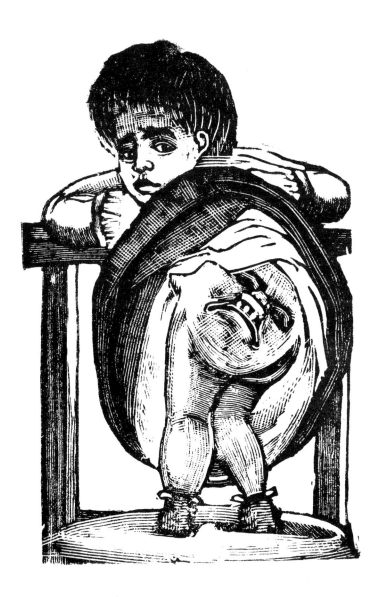

la filosofía libertina europea. La diferencia es que la primera nos ofrece una visión total, aunque vertiginosa, del hombre y del mundo, en tanto que la segunda termina en un callejón sin salida. En suma, vivimos entre el temblor de tierra y la petrificación, el mito y la filosofía. En un extremo, las convulsiones de la risa echan abajo el edificio de nuestros principios y corremos el riesgo de perecer bajo los escombros; en el otro, la filosofía nos amenaza —cualquiera que sea la máscara que escojamos: la de Calvino o la de Sade— con la momificación en vida. Divagaciones a la sombra de Coatlicue: la destrucción por el movimiento o por la inmovilidad. Tema para un moralista azteca.

ENCARNACIÓN Y DISIPACIÓN

Desde que el hombre es hombre está expuesto a la agresión: a la de los otros y a la de sus propios instintos. La expresión *desde que el hombre es hombre* significa, en primer término, desde nuestro nacimiento y, además, desde que la especie se incorporó y adoptó la posición erecta. En este sentido nuestra condición no es histórica: la dialéctica de los principios de placer y de realidad se despliega en una zona intocada por los cambios sociales de los últimos ocho mil años. Hay, de todos modos, una diferencia: las sociedades antiguas elaboraron instituciones y métodos que, con mayor facilidad y con menos peligro para la especie que los de ahora, absorbían y transformaban los instintos agresores. Por una parte, los mecanismos de simbolización: un sistema de transformación de las obsesiones, impulsos e instintos en mitos e imágenes colectivas; por la otra, los ritos: la encarnación de esas imágenes en ceremonias y fiestas. Apenas si debo aclarar que no creo ni en la superioridad de las civilizaciones que nos han precedido ni en la de la nuestra. Temo que la "sociedad sana" sea una utopía; si no lo es, su sitio no está ni en el pasado ni en el futuro, al menos tal como vemos a este último desde el presente.* No obstante, me parece evidente que la antigüedad (o las antigüedades, pues son varias) ofrecía un abanico de posibilidades de sublimación y encarnación más rico y eficaz que el nuestro.

Las culturas llamadas primitivas han creado un sistema de metáforas y de símbolos que, como ha mostrado Lévi-Strauss, constituyen un verdadero código de signos a un tiempo sensibles e intelectuales: un lenguaje. La función del lenguaje es significar y comunicar los significados, pero los hombres modernos hemos reducido el signo a la mera significación intelectual y la comunicación a la trasmisión de información. Hemos olvidado que los signos son cosas sensibles y que obran sobre los sentidos. El perfume transmite una información que es inseparable de la sensación. Lo mismo sucede con el sabor, el sonido y las otras expresiones e impresiones sensuales. El rigor de la "lógica sensible" de los primitivos nos maravilla por su precisión intelectual; no es menos extraordinaria la riqueza de las percepciones: ahí donde una nariz moderna no distingue sino un vago olor, un salvaje percibe una gama definida de aromas. Lo más asombroso es el método, la manera de asociar todos esos signos hasta tejer con ellos series de objetos simbólicos: el mundo convertido en un lenguaje sensible. Doble maravilla: hablar con el cuerpo y convertir al lenguaje en un cuerpo.

Otra vía de absorción, transformación y sublimación: el tiempo cíclico. La fecha que regresa es de veras una vuelta del tiempo anterior, una inmersión en un pasado que es, simultáneamente, el de cada uno y el del grupo. La rueda del tiempo, al

* Lévi-Strauss piensa que, si hubo una edad de oro, debemos situarla en las aldeas del neolítico. Quizá tenga razón. El Estado estaba en embriones, había apenas división del trabajo, no se conocían los metales (las armas) ni la escritura (burocracia de escribas/masa de esclavos) y la religión aún no se organizaba en clerecía. Hace años Kostas Papaioannou me decía casi lo mismo, mostrándome unas figurillas femeninas de fertilidad: la dicha en persona, el acuerdo con el mundo.

girar, permite a la sociedad la recuperación de las estructuras psíquicas sepultadas o reprimidas para reintegrarlas en un presente que es también un pasado. No sólo es el regreso de los antiguos y de la antigüedad: es la posibilidad que cada individuo tiene de recobrar su porción viva de pasado. El psicoanálisis se propone dilucidar el incidente olvidado, de modo que la cura consiste, hasta cierto punto, en una recuperación de la memoria. El rito antiguo se despliega en un nivel que no es del todo el de la conciencia: no es la memoria que recuerda lo pasado sino el pasado que vuelve. Es lo que he llamado, en otro contexto, la *encarnación de las imágenes*.

Desde este punto de vista, el arte es el equivalente moderno del rito y de la fiesta: el poeta y el novelista construyen objetos simbólicos, organismos que emiten imágenes. Hacen lo que hace el salvaje: convierten al lenguaje en cuerpo. Las palabras ya no son cosas y, sin cesar de ser signos, se animan, *cobran cuerpo*. El músico también crea lenguajes corporales, geometrías sensibles. A la inversa del poeta y del músico, el pintor y el escultor hacen del cuerpo un lenguaje. Por ejemplo: la célebre Venus del Espejo es una variante de la metáfora sexo/cara. Una variante que es una réplica a la imagen verbal de Quevedo y a la metáfora gráfica de Posada: en el cuadro de Velázquez no hay humillación de la cara o del sexo. Momento de milagrosa concordia. La diosa —nada menos celeste que esa muchacha tendida, por decirlo así, sobre su propia desnudez— da la espalda al espectador, como la enana de Posada. En el centro del cuadro, en la mitad inferior, a la altura del horizonte en el alba, precisamente en el lugar por el que aparece el sol, el oriente, la esfera perfecta de las caderas. Grupa-astro. Arriba, en el horizonte superior, en el cenit, en el centro del cielo: el rostro de la muchacha. ¿Su rostro? Más bien, como el Polifemo de Góngora, su reflejo en el "agua neutra" de un espejo. Vértigo: el espejo refleja el rostro de una imagen, reflejo de un reflejo.

Prodigiosa cristalización de un momento que, en la realidad, ya se ha desvanecido...

Cuadro y poema: ritos solitarios de la contemplación y la lectura, festín de fantasmas, convite de reflejos. Las imágenes encarnan en el arte sólo para desencarnar en el acto de la lectura o la contemplación. Además, el artista cree en el arte y no, como el primitivo, en la realidad de sus visiones. Para Velázquez la Venus es una imagen, para Góngora el ojo solar del cíclope es una metáfora y para Quevedo el ano ciclópeo es un concepto más, una *agudeza*. En los tres casos: algo que no pertenece al dominio de la realidad sino al del arte. La sublimación poética se identifica así, casi totalmente, con el instinto de la muerte. Al mismo tiempo, la participación con los otros adopta la forma de la lectura. El primitivo también descifra signos, también lee, sólo que sus signos son un doble de su cuerpo y del cuerpo del mundo. La lectura del primitivo es corporal.

Por más artificiosas que nos parezcan, la agudeza de Quevedo y la metáfora de Góngora eran todavía lenguaje vivo. Si el siglo XVII había olvidado que el cuerpo es un lenguaje, sus poetas supieron crear un lenguaje que, tal vez a causa de su misma complicación, nos da la sensación de un cuerpo vivo. Ese cuerpo no es humano: es el de los cíclopes y las sirenas, los centauros y los diablos. Un lenguaje martirizado y poseído como un cuerpo endemoniado. Para medir los progresos sinuosos de la abstracción y la sublimación, basta comparar el lenguaje de Quevedo con el de Swift. El último es un escritor infinitamente más libre que el español pero su osadía es casi exclusivamente intelectual. Ante la violencia sensual de Quevedo, especialmente en el nivel escatológico, Swift se habría ofendido. *Affair* no de moral sino de gusto: todo está permitido en la esfera de las ideas y de los sentimientos, no en la de la sensibilidad. El siglo libertino fue también el inventor del buen gusto. La represión desaparece en una zona para reaparecer en otra, no ya enmascarada de moral sino bajo el antifaz de una estética.

Conocemos el horror de Swift por la anatomía femenina, un horror que viene de San Agustín y al que harán eco dos poetas modernos: Yeats y Juan Ramón Jiménez. El segundo dijo, en su mejor poema *(Espacio):* "Amor, amor, amor (lo cantó Yeats) es el *lugar del excremento."* Aunque probablemente Quevedo sintió la misma repulsión —fue misógamo, putañero y petrarquista— su reacción es más entera y, dentro de su pesimismo, más sana: "Es sin comparación mejor (el ojo del culo a los de la cara) pues anda siempre, en hombres y mujeres, vecino de los miembros genitales; y así se prueba que es bueno, según aquel refrán: *Dime con quién andas, te diré quién eres."* El sistema de transformaciones simbólicas del catolicismo todavía ofrece —aún en el momento en que la Contrarreforma se repliega y aunque sea por la vía de la sátira y la escatología— la posibilidad de hablar físicamente de las cosas físicas. A pesar de que Swift es más libre intelectualmente que el poeta español, su sensualidad se enfrenta a prohibiciones no menos poderosas que las que imponían a Quevedo la neoescolástica, la monarquía absoluta y la Inquisición.

A medida que la represión se retira de la razón, aumentan las inhibiciones del lenguaje sensual. El extremo es Sade. Nadie ha tratado temas tan candentes en un lenguaje tan frío e insípido. Su ideal verbal —cuando no cede al furor— es una geometría y una matemática eróticas: los cuerpos como cifras y como símbolos lógicos, las posturas amorosas como silogismos. La abstracción colinda con la insensibilidad, por un lado; por el otro, con el aburrimiento. No quiero regatearle el genio a Sade, incluso si la beatería que lo rodea desde hace años provoca en mí ganas de blasfemar contra el gran blasfemo, pero nada ni nadie me hará decir que es un escritor sensual. El título de una de sus obras define a su lenguaje y a su estilo: "La filosofía en el boudoir." La llama pasional vuelve a encenderse en el siglo XIX y los que la encienden son los poetas románticos, que creían en el amor único y en la sublimidad de las pasiones. La oleada romántica nos lleva a Joyce y los surrealistas. Un proceso en dirección inversa al de Sade y el siglo XVIII: del diamante al rayo, de la ataraxia a la pasión, de la filosofía en el boudoir a la poesía al aire libre. Y ahora, de nuevo, nos amenaza otra era glacial: a la guerra fría sucede el libertinaje en frío. Síntoma de la baja de tensión erótica: la degradación de las formas. Pues el principio de placer, que es explosión y subversión, también y por encima de todo es rito, representación, fiesta o ceremonia. Sacrificio y *cortesía:* Eros es imaginario y cíclico, lo contrario del "happening" que sólo sucede una vez.

Contrasta la riqueza de las invenciones verbales de *Nueva picardía mexicana* con la rusticidad y aún gazmoñería del sistema ético subyacente en la mayoría de los cuentos y dichos. Supersticiones, prejuicios, inhibiciones. El machismo y sus consecuencias: la misoginia y el odio irracional a "jotos" y "maricones". Esto último a despecho o, más bien, a causa de las raíces homosexuales de esta actitud hispanoamericana. En el fondo nuestros "machos" odian a la mujer y envidian al invertido: no es extraño que se conviertan en pistoleros. Así pues, el encanto del libro de Jiménez es sobre todo lingüístico y poético. Aquí sí hay *lenguaje en movimiento:* continua rotación de las palabras, insólitos juegos entre el sentido y el sonido, idioma en perpetua metamorfosis. *Les mots font l'amour.* Erotismo verbal y ñoñez intelectual y moral. Los textos de *Nueva picardía mexicana* no son atrevidos si los comparamos con los que publican ahora nuestros escritores jóvenes, pero muchos de éstos (los maduros ya ingresaron en la Academia) deberían recoger la lección de los "albures" que publica Jiménez.

Me he extendido sobre el tema del lenguaje porque el falo y el coño además de ser objetos (órganos) simbólicos, son emisores de símbolos. Son el lenguaje pasional del cuerpo. Un lenguaje que sólo la enfermedad y la muerte acallan —no la filosofía.

El cuerpo es imaginario no por carecer de realidad sino por ser la realidad más real: imagen al fin palpable y, no obstante, cambiante y condenada a la desaparición. Dominar el cuerpo es suprimir las imágenes que emite —y en eso consisten las prácticas del yogín y el asceta. O disipar su realidad —y eso es lo que hace el libertino. Unos y otro se proponen acabar con el cuerpo, con sus imágenes y con sus pesadillas: con su realidad. Pues la realidad del cuerpo es una imagen en movimiento fijada por el deseo. Si el lenguaje es la forma más perfecta de la comunicación, la perfección del lenguaje no puede ser sino erótica e incluye a la muerte y al silencio: al fracaso del lenguaje... ¿El fracaso? El silencio no es el fracaso sino el acabamiento, la *culminación* del lenguaje. ¿Y por qué nos empeñamos en decir que la muerte es *absurda*? ¿Qué sabemos de la muerte?

Desde esta perspectiva el libro de Jiménez me decepciona (no es una crítica: es una confesión) como me decepcionan todos los chistes y cuentos de la picaresca de otros países y lenguas. Cierto, las raíces del chiste y las del arte son las mismas, como todos repiten desde que Freud escribió su famoso ensayo sobre este tema. Lo que no siempre se recuerda es que esa semejanza de origen se convierte, al final, en una diferencia. Ambos, el chiste y el poema, son expresiones del principio de placer, victorioso por un instante del principio de realidad. En los dos casos el triunfo es imaginario; ahora que el chiste se disipa en tanto que en el arte hay una voluntad de forma ausente en la picardía. ¿La forma es el triunfo contra la muerte o es una nueva trampa de Tanatos y de su cómplice, la sublimación? Tal vez ni lo uno ni lo otro: es amor frenético, deseo exasperado e infinitamente paciente por fijar —no al cuerpo sino al movimiento del cuerpo: el cuerpo en movimiento hacia la muerte. El cuerpo sacudido, movido por la pasión. No niego que el arte, como todo lo que hacemos, sea sublimación, cultura y, por tanto, homenaje a la muerte. Agrego que es sublimación que quiere encarnar: regresar al cuerpo. El chiste es ejemplar y, sea cínico o satírico, moral. Su moralidad última consiste en disiparse. El arte es lo contrario de la disipación, en el sentido físico y espiritual de la palabra: es concentración, deseo que busca encarnación.

2. CONJUGACIONES

UN ORO NEFASTO *

Nueva picardía mexicana tiene un interés psicológico y sociológico más inmediato que el lingüístico y no menos importante. No me propongo tocar ese tema: otros lo harán mejor que yo. Diré únicamente que es un repertorio de nuestros deseos y temores, atrevimientos y cobardías. En este sentido arroja una luz muy viva, aunque indirecta, sobre el sistema de represiones, externas e internas, de la sociedad mexicana. Si la obsesión por el falo y el coño es universal, son mexicanas las formas en que la expresamos. Lo mismo sucede con los blancos contra los que disparamos nuestras picardías. Ejemplos: aunque en todas partes hay partidos políticos revolucionarios y/o institucionales, no en todas existe un Partido Revolucionario Institucional; desde que el mundo es mundo hay nuevos ricos sólo que únicamente en México la burguesía es "revolucionaria"; si los "hijos de Sánchez" no son más desventurados que los del negro Smith de Chicago o los del siciliano Pedroni de Palermo, son distintos. Hubo muchos motines en 1968: gases lacrimógenos y garrotazos en París, Tokio, Delhi, Roma, Berlín —y tanques en Praga, Chicago y México. El nuestro se ajustó al sangriento arquetipo mítico que rige nuestra historia desde Itzcoatl y ocurrió en la antigua Plaza de Tlatelolco, hoy llamada Plaza de las Tres Culturas: el rito azteca, el español y el moderno.

Es natural que la sátira contra los sistemas y clases dominantes sea uno de los temas constantes de *Nueva picardía mexicana:* el principio de placer es subversivo. El orden dominante, cualquiera que sea, es represivo: es el orden de la dominación. La crítica social asume con frecuencia la forma de burla contra la pedantería de los cultos y las ridi-

---

* *Un or néfaste incite pour son beau cadre une rixe...* (Mallarmé, primera versión del "soneto en ix".)

27

culeces de la "buena educación". Es un elogio implícito, a veces explícito, de la sabiduría de los ignorantes. Dos sistemas de valores: la cultura de los pobres y la de los ricos. La primera es heredada, inconsciente y antigua; la segunda es adquirida, consciente y moderna. La oposición entre ambas no es sino una variación de la vieja dicotomía entre espontaneidad y conciencia, sociedad natural y sociedad culta o artificial. Otra vez Rousseau y Hobbes: la sociedad artificial es autoritaria y jerárquica; la natural es libre e igualitaria. Ahora bien, el sexo es subversivo no sólo por ser espontáneo y anárquico sino por ser igualitario: carece de nombre y de clase. Sobre todo: no tiene cara. No es individual: es genérico. El no tener cara el sexo es el origen de todas las metáforas que he mencionado y, además, el origen de nuestra desdicha. El sexo y el rostro están separados, uno abajo y otro arriba; como si no fuese bastante con esto, el primero anda oculto por la ropa y el segundo al descubierto. (De ahí que cubrir el rostro de la mujer, como hacen los musulmanes, equivalga a afirmar que realmente no tiene cara: su cara es sexo.) Esta separación, que nos ha hecho seres humanos, nos condena al trabajo, a la historia y a la construcción de sepulcros. También nos condena a inventar metáforas para suprimirla. El sexo y todas sus imágenes —desde las más complejas hasta los chistes de cantina— nos recuerdan que hubo un tiempo en que la cara estuvo cerca del suelo y de los órganos genitales. No había individuos y todos eran parte del todo. A la cara le parece insoportable ese recuerdo y por eso ríe —o vomita. El sexo nos dice que hubo una edad de oro; para la cara esa edad no es el rayo solar del cíclope sino el excremento.

Max Weber descubrió una relación entre la ética protestante y el desarrollo del capitalismo. Por su parte, algunos continuadores de Freud, señaladamente Erich Fromm, subrayan la conexión entre este último y el erotismo anal. Norman O. Brown ha hecho una síntesis brillante de ambos descubrimientos y, lo cual es todavía más importante,

28

ha mostrado que la "visión excremental" constituye la esencia simbólica y, por tanto, jamás explícita, de la civilización moderna. La analogía contradictoria y complementaria entre el sol y el excremento es de tal modo evidente que casi dispensa la demostración. Es una pareja de signos que se funden y disocian alternativamente, regidos por la misma sintaxis simbolizante de otros signos: el agua y el fuego, lo abierto y lo cerrado, lo puntiagudo y lo redondo, lo seco y lo húmedo, la luz y la sombra. Las reglas de equivalencia, oposición y transformación que utiliza la antropología estructural son perfectamente aplicables a estos dos signos, sea en el nivel individual o en el social.

El erotismo anal es una fase infantil, pregenital, de la sexualidad individual que corresponde, en la esfera de los mitos sociales, a la edad de oro. Apenas si es necesario referirse a los juegos y fantasías infantiles en torno al excremento: "la vida empieza en lágrimas y caca..." (Quevedo). Por lo que toca a las imágenes míticas, señalo que si el sol es vida y muerte, el excremento es muerte y vida. El primero nos da luz y calor, pero un exceso de sol nos mata; por tanto, es vida que da muerte. El segundo es un desecho que es también un abono natural: muerte que da vida. Por otra parte, el excremento es el doble del falo como el falo lo es del sol. El excremento es el *otro* falo, el *otro* sol. Asimismo, es sol podrido, como el oro es luz congelada, sol materializado en lingotes contantes y sonantes. Guardar oro es atesorar vida (sol) y retener el excremento. Gastar el oro acumulado es esparcir vida, transformar la muerte en vida. En el transcurso de la historia todas estas imágenes se volvieron más y más abstractas, a medida que aumentaba la sublimación de los instintos. Más y más sublimes: más represivas. La cara se alejó del culo.

La ambivalencia del excremento y su identificación con el sol y con el oro, le dio una suerte de corporeidad simbólica —ora benéfica, ora nefasta— lo mismo entre los primitivos que en la antigüedad y en el medievo. A Norman O. Brown le interesan sobre todo sus metamorfosis recientes.* No es necesario acompañarlo en toda su apasionante excursión; baste con decir que las metamorfosis del oro y el excremento, sus uniones y separaciones, constituyen la historia secreta de la sociedad moderna. La condenación del excremento por la Reforma, como encarnación o manifestación del demonio, fue el antecedente y la causa inmediata de la sublimación capitalista: el oro (el excremento) convertido en billetes de banco y acciones. Por cierto, Brown no señala que a esta transformación en el nivel de los símbolos y las creencias corresponde, en el de la economía y la vida práctica, el tránsito de la economía cerrada, constituida por *cosas,* a la economía abierta del mercado capitalista, hecha de *signos.* Lutero recibe la revelación en la letrina, en el momento en que vacía el estómago. Las letrinas son el lugar infernal por definición. El sitio de la *pudrición* es el de la *perdición:* este mundo. La condenación de este mundo es la condenación de la putrefacción y de la pasión por atesorarla y adorarla: el becerro de oro es excrementicio. Ahora que esa condenación alcanza también al *desperdicio.* La conexión entre retención anal y economía racional, que mide los gastos, es clara. Entre atesoramiento y desperdicio no quedó otro recurso que la sublimación. El segundo paso consistió en transformar en producto esa retención: ocultación y asepsia de la letrina y, simultáneamente, metamorfosis del sótano donde se guardan oro y riquezas en institución bancaria.

Sin embargo de que el protestantismo dominó a los mahometanos y a los hindúes durante siglos, no pudo o no quiso convertirlos. En cambio, logró la *conversión* del oro. Desapareció como cosa, perdió materialidad y se transformó en signo; y en nada menos, por una curiosa consecuencia de la moral cal-

---

* *Life against Death.* Hay traducción al español: *Eros y Tanatos* (Editorial Joaquín Mortiz, México, 1967). Brown publicó en 1966 otro volumen, *Love's Body,* que es la continuación y el complemento de *Eros y Tanatos.* Aún no ha sido traducido.

vinista, que en signo de los elegidos. El avaro es culpable de una pasión infernal porque juega con el oro que junta en su cueva como el niño con su excremento. La economía racional capitalista es limpia, útil y moral: es el sacrificio de omisión —lo contrario del sacrificio por gasto y de la hecatombe— que hacen los buenos ante la voluntad divina. La recompensa de la divinidad no se manifiesta en bienes materiales sino en signos: moneda abstracta. En el mismo instante en que el oro desaparece de los vestidos de hombres y mujeres tanto como de los altares y de los palacios, se transforma en la sangre invisible de la sociedad mercantil y circula, inodoro e incoloro, por todos los países. Es la salud de las naciones cristianas. No se guarda como en la Edad Media y tampoco se gasta y desparrama: corre, se propaga, se cuenta, se descuenta y así se *multiplica*. Posee una doble virtud: ser una mercancía y ser el signo de todas las mercancías. La moralización del oro y su trasmutación en signo es paralela a la expulsión de las palabras sucias del lenguaje y a la invención y popularización del excusado inglés. La banca y el W.C. son expresiones típicas del capitalismo.

Antes que Freud y sus continuadores, Marx había ya advertido el carácter mágico del oro en la civilización antigua. En cuanto a su relación con el excremento: dijo que la sociedad capitalista es "la dominación de hombres vivos por materia muerta". Debería añadirse: la dominación por materia muerta abstracta, pues no es el oro material el que nos asfixia sino el tejido de sus signos. En los países que, más por comodidad verbal que por afán de exactitud intelectual, llamamos socialistas ha desaparecido el lucro individual y, por consiguiente, el signo del oro. No obstante, allá el poder no es menos sino más abstracto y asfixiante que en las sociedades capitalistas. La agresividad del excremento viene probablemente de su identificación infantil con el falo. Así, habría que estudiar la conexión escondida entre esa agresividad anal y la violencia abstracta de las burocracias del Este. Por supuesto, también tendría que determinarse a qué otras zonas erógenas infantiles o pregenitales corresponde esta extraña sublimación del mito de la edad de oro. Una sublimación que es, en realidad, su negación. La transmutación del sol primordial —oro que era de todos, todo que era de oro— en el ojo omnisciente del Estado burocrático-policiaco es tan impresionante como la transformación del excremento en billetes de banco. Pero nadie ha abordado el tema, que yo sepa. Igualmente es una lástima que ninguno entre nosotros haya examinado, desde este punto de vista, un estilo artístico que se sitúa precisamente en el alba de nuestra época y que es la antítesis tanto del "socialismo" como del capitalismo modernos. Un estilo al que podría llamarse "el barroco excremental".

PIRAS, MAUSOLEOS, SAGRARIOS

La Contrarreforma, el "estilo jesuítico" y la poesía hispánica del siglo XVII son el reverso de la austeridad protestante y de su condenación y sublimación del excremento. España extrae el oro de las Indias, primero de los altares del *demonio* (o sea: de los templos precolombinos) y después de las *entrañas* de la tierra. En ambos casos, se trata de un producto del mundo inferior, dominio de los bárbaros, los cíclopes y el cuerpo. América es una suerte de letrina fabulosa, sólo que ahora la operación no consiste en la retención del oro sino en su dispersión. La tonalidad no es moral sino mítica. El metal solar se desparrama sobre los campos de Europa en guerras insensatas y en empresas delirantes. Un soberbio desperdicio excremental de oro, sangre y pasión: descomunal y metódica orgía que recuerda las destrucciones rituales de los indios americanos, aunque mucho más costosa. Pero el oro de las Indias sirve también para cubrir el interior de las iglesias, como una ofrenda solar. En las naves oscuras arden los altares y su dorada vegetación de santos, mártires, vírgenes y ángeles. Arden

...el becerro de oro es excrementicio [*p. 30*]

Le Petit Journal

SUPPLÉMENT ILLUSTRÉ

TOUS LES JOURS
Le Petit Journal
5 Centimes

Huit pages : CINQ centimes

TOUS LES VENDREDIS
Le Supplément illustré
5 Centimes

Troisième Année   SAMEDI 31 DÉCEMBRE 1892   Numéro 110

LE VEAU D'OR

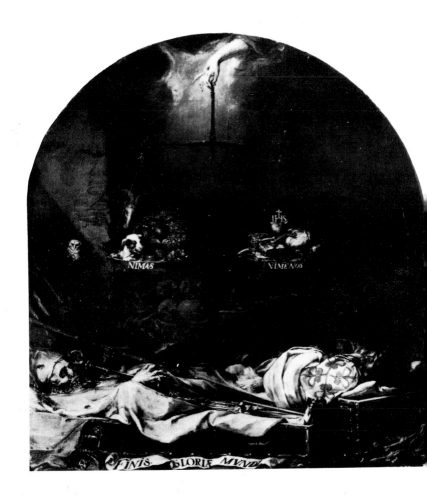

y agonizan. Oro más crepuscular que naciente y, por eso, más vivo y desgarrado por la sombra que avanza. Calor de luz y reflejos temblantes que evocan las glorias antiguas y nefastas del sol poniente y del excremento. ¿Vida que da muerte o muerte que da vida? Si el oro y su doble fisiológico son signos de las tendencias más profundas e instintivas de una sociedad, en el barroco español e hispanoamericano significan lo contrario del lucro productivo: son la ganancia que se inmola y se incendia, la consumación violenta de los bienes acumulados. Ritos de la perdición y el desperdicio. Sacrificio y defecación.

La dualidad sol y excremento se polariza en los dos grandes poetas del periodo, Góngora y Quevedo. Los dos son un extraordinario fin de fiesta de la poesía española: con ellos, y en ellos, se acaba una gran época de la literatura europea. Yo veo sus poemas como una ceremonia fúnebre, luminosas exequias del sol-excremento. Aunque Góngora es el poeta solar, no tuerce la boca para decir la palabra *caca* cuando es necesario; el artista más osado que ha dado la poesía de Occidente no tuvo lo que se llama "buen gusto". A Quevedo, el poeta excremental, tampoco le faltan luces. Al hablar de una sortija de oro que encerraba el retrato de una mujer, dice:

En breve cárcel traigo aprisionado
con toda su familia de oro ardiente,
el cerco de la luz resplandeciente...

Y más adelante: "Traigo todas las Indias en la mano." El oro del Nuevo Mundo y su brillo infraterrestre de letrina ciclópea pero asimismo el resplandor intelectual del erotismo neoplatónico: la amada es luz, Idea. En este relámpago grabado arden la herencia petrarquista y el oro de los ídolos precolombinos, el infierno medieval y las glorias de Flandes e Italia, el cielo cristiano y el firmamento mitológico con sus estrellas, flores que pacen "las fieras altas de la piel luciente". Por esto, sin contradecirse, también dice en otro soneto: "La voz del ojo, que llamamos pedo,/ruiseñor de los putos. . ." El ano como un ojo que fuese también una boca. Todas estas imágenes están poseídas por la avidez, la rabia y la gloria de la muerte. Su complicación, su perfección y hasta su obscenidad pertenecen al género ritual y grandioso del holocausto.

Para Swift el excremento es un tema de meditación moral; para Quevedo, una materia plástica como los rubíes, las perlas y los mitos griegos y romanos de la retórica de su época. El pesimismo de Quevedo es total: todo es materia para el incendio. Sólo que ese incendio es una forma, un estilo; las llamas configuran una arquitectura verbal y sus chispas son intelectuales: ocurrencias, agudezas. El ejemplo de Quevedo es el más notable pero no es el único. En todo el periodo barroco español, lo mismo en la esfera de la poesía que en la de las artes plásticas, reina la oposición entre el oro y la sombra, la llama y lo oscuro, la sangre y la noche. Estos elementos no simbolizan tanto la lucha entre la vida y la muerte como una pelea a muerte entre dos principios o fuerzas rivales: esta vida y la otra, el mundo de aquí y el mundo de allá, el cuerpo y el alma. El cuerpo tienta al alma, quiere quemarla con la pasión para que se precipite en el hoyo negro. A su vez, el alma castiga al cuerpo; lo castiga con el fuego porque quiere reducirlo a cenizas. El martirio de la carne es en cierto modo la contrapartida de los autos de fe y las quemas de herejes. También lo es de los sufrimientos del alma, crucificada en la cruz ardiente de los sentidos. En los dos casos el fuego es purificador.

El incendio representa en esta dialéctica de la luz y la sombra, la llama y el carbón, el mismo principio que el rayo *(vajra)* en el budismo tántrico: la trasmutación por la meditación de la pasión sexual en desasimiento diamantino corresponde, en la España de la Contrarreforma, a la transfiguración por el fuego de la carne en luz espiritual. Otra analogía: de la misma manera que el rayo (el falo) debe trasmutarse en diamante, el árbol (el cuerpo humano) debe transformarse en cruz. En uno y en otro caso: reducción del elemento natural (rayo, árbol) a sus elementos esenciales para convertirlo en signo (cruz y *vajra* estilizado). Martirios y transfiguraciones de la naturaleza... Pero es tal el poder de la pasión, o tal la capacidad de placer del cuerpo, que el incendio se vuelve goce. El martirio no extingue sino que aviva al placer. El retorcerse de los miembros abrasados alude a sensaciones que entretejen delicias y tormentos. Ni siquiera el espíritu religioso fue insensible a la fascinación de la combustión. El "muero porque no muero" y el "placer de morir" de nuestros místicos son el reverso, el complemento y la transfiguración de los exasperados "mátame ya" y los "muero de placer" de los amantes. Almas y cuerpos chamuscados. En nuestro arte barroco el espíritu vence al cuerpo pero el cuerpo halla ocasión de glorificarse en el acto mismo de morir. Su desastre es su monumento.

El principio de placer, aún en esos homenajes a la muerte que son los poemas barrocos, se refugia siempre en la forma. Estamos condenados a morir y de ahí que inclusive la sublimación, que nos alivia de la tiranía del superego, termine inevitablemente por servir al instinto del aniquilamiento. Como también estamos condenados a vivir, el principio de placer erige monumentos inmortales (o que quieren serlo) a la muerte. . Mientras escribo esto, veo desde mi ventana los mausoleos de los sultanes de la dinastía Lodi. Edificios color de sangre apenas seca, cúpulas negras por el sol, los años y las lluvias del monzón —otras son de mármol y más blancas que el jazmín—, árboles de follaje fantástico plantados en prados geométricos como silogismos y, entre el silencio de los estanques y el del cielo de esmalte, los chillidos de los cuervos y los círculos silenciosos de los milanos. La bandada de cohetes de los pericos, rayas verdes que aparecen y desaparecen en el aire quieto, se cruza con las alas pardas de los murciélagos ceremoniosos. Unos regresan, van a dormir; otros apenas se despiertan y vuelan con pesadez. Ya es casi de noche y hay todavía una luz difusa. Estas tumbas no son de piedra ni de oro: están hechas de una materia vegetal y lunar. Ahora sólo son visibles los domos, grandes magnolias inmóviles. El cielo se precipita en el estanque. No hay abajo ni arriba: el mundo se ha concentrado en este rectángulo sereno. Un espacio en el que cabe todo y que no contiene sino aire y unas cuantas imágenes que se disipan. El dios del Islam no es de mi devoción pero en estas tumbas me parece que se disuelve la oposición entre la vida y la muerte. No en Swift, no en Quevedo.

Si se quiere encontrar, en la historia de la poesía española, la fusión de cara y sexo, lo mejor es dejar a Góngora y a Quevedo y buscar a otro poeta: Juan Ruiz, Arcipreste de Hita. Se dirá que olvido, entre otros, a Garcilaso y a Lope, a Fernando de Rojas y al gran Francisco Delicado. No los olvido. Lo que pasa es que, después de las ceremonias suntuosas y terribles del oro, el excremento y la muerte, hay que salir a respirar el aire brioso y eufórico del siglo XIV. Por eso busco al clérigo universal en su pequeña ciudad. Tal vez ha salido a una de sus expediciones erótico-venatorias y recorre los montes vecinos, poblados no por ninfas y centauros sino por robustas y lascivas serranas. O está de vuelta y se pasea en el atrio de la iglesia, acompañado por Trotaconventos. El clérigo y la alcahueta tejen redes amorosas o destejen las que le tienden dueñas y monjas:

> No me las enseñes más
> que me matarás.
> Estábase la monja
> en el monesterio,
> sus teticas blancas
> de so el velo negro.
> Más, que me matarás.*

* Diego Sánchez de Badajoz. (*Recopilación en metro*, 1554). *Lírica hispánica de tipo popular*, selección, prólogo y notas de Margit Frenk Alatorre, México, 1966.

En el *Libro de buen amor,* que es el libro del loco amor, la escatología no es fúnebre ni el sexo es sangriento y dorado. No hay ni sublimación exagerada ni realismo exasperado, lo que no impide que las pasiones sean enérgicas. Nada de platonismo ni de jerarquías nobiliarias: la gran señora no es un castillo invulnerable pero "non se podría vencer por pintada moneda". Gran elogio. Al Arcipreste deveras le gustaban las mujeres; sabía que, si son la casa de la muerte, son asimismo la mesa del festín de la vida. Y ese saber no le producía ni horror ni rabia. A veces, al leer *Nueva picardía mexicana,* me llegan ráfagas de frescura, relentes serranos que son como ecos de Juan Ruiz y su mundo; entonces me reconcilio con el pueblo de México y con toda la gente de habla española. No, no somos únicamente descendientes de Quevedo ni, en el caso de nosotros los mexicanos, del ascético Quetzalcóatl y del feroz Huitzilopochtli. También venimos del Arcipreste y de sus dueñas y doncellas, sus judías y sus moras —de ellas y de las muchachas desnudas del neolítico, esas mazorcas de maíz desenterradas en Tlatilco y que, intactas, todavía nos sonríen.

Leer a Quevedo en el jardín de un mausoleo musulmán del siglo XV puede parecer incongruente; no lo es leer el *Libro de buen amor:* su autor convivió con mahometanos, muchos de ellos y ellas cantores, bailarines y músicos errantes. Son los mismos que ahora todavía andan por Rajastán o Uttar Pradesh y que a veces, cuando pasan por Delhi, se sientan en círculo, en los prados que rodean a los mausoleos, para comer, cantar o dormir. Por supuesto, la vecindad histórica de España y el Islam no borra las obvias y gruesas diferencias entre el mausoleo y el libro del poeta español. En este momento la que me interesa destacar es la siguiente: el primero reconcilia a la vida con la muerte y así la gananciosa es la última; el libro junta a la muerte con la vida y la que gana es la vida. En ambos casos hay un diálogo entre los dos principios. Claro que no es justo comparar un libro a un monumento.

¿Cuál es, entonces, la contrapartida occidental de estas tumbas? No acierto a responder. En ningún cementerio cristiano he sentido esta ligereza y serenidad. ¿Los de griegos y romanos? Quizá. Sólo que no me parecen tan aireados y acogedores como estos mausoleos. Allá la historia pesa; aquí se desvanece: es cuento, leyenda. La respuesta está fuera de Europa y del monoteísmo —en esta misma tierra de la India: los templos hindúes y las *chaityas* budistas. Cierto, no son tumbas: los indios queman a sus muertos. No importa: muchos de estos santuarios guardan huesos de santos y aún dientes y otras reliquias del Buda. En los templos indios la vida no combate a la muerte: la absorbe. Y la vida, a su vez, se disuelve como se disuelve un día en el año y un año en el siglo.

En los santuarios indios la existencia, concebida como proliferación y repetición, se manifiesta con una riqueza insistente y monótona que evoca la irregularidad y la persistencia de la vegetación; en los mausoleos musulmanes se somete la naturaleza a una geometría a un tiempo implacable y elegante: círculos, rectángulos, exágonos. Inclusive el agua se convierte en geometría. Encerrada en canales y estanques, se distribuye en espacios geométricos: es visión; chorro de agua que cae sobre una fuente de piedra o murmullo de arroyo artificial entre riberas de mármol, se reparte en porciones regulares de tiempo: es sonido. Juegos de ecos y correspondencias entre el tiempo y el espacio; el ojo, encantado por las divisiones armónicas del espacio, contempla el reflejo de la piedra en el agua; el oído, arrobado por la repetición de una misma rima, escucha el son del agua al caer sobre la piedra. La diferencia entre el templo indio y el mausoleo musulmán es radical y depende, quizá, de lo siguiente: en un caso estamos ante un monismo que incluye al pluralismo del mundo natural y a un politeísmo riquísimo y complicado; en el otro, estamos ante un monoteísmo intransigente que excluye toda pluralidad natural y toda veleidad politeísta, así sea disimulada como en el catolicismo. En la civilización india, exaltación del cuerpo; en el

Islam, desaparición del cuerpo en la geometría de la piedra y el jardín.

Al hablar de los templos de la India hay que hacer una distinción entre los santuarios hindúes propiamente dichos y los budistas. En el interior de la India, el hinduísmo y el budismo son los protagonistas de un diálogo sorprendente. Ese diálogo fue la civilización índica. El hecho de que haya cesado contribuye a explicar la postración, desde hace ocho siglos, de esa civilización, su incapacidad para renovarse y cambiar. El diálogo degeneró en el monólogo del hinduísmo. Un monólogo que pronto asumió la forma de la repetición y el manierismo hasta la anquilosis final. El Islam, que aparece en el momento en que desaparece el budismo en la India, no pudo ocupar el sitio de este último: la oposición entre hinduísmo y budismo es una contradicción dentro de un mismo sistema mientras que la del islamismo y el hinduísmo es el afrontamiento de dos sistemas distintos e incompatibles. Algo semejante ocurrió después con el cristianismo y, ahora, con las ideologías afiliadas a esta religión: democracia, socialismo... Occidente no ha conocido nada parecido: las religiones no-cristianas a que tuvo que enfrentarse fueron versiones del mismo monoteísmo: el judaísmo y el islamismo.

Los orientalistas y filósofos que han descrito al budismo como un nihilismo negador de la vida, estaban ciegos: nunca vieron las esculturas de Bhārhut, Sāñchī, Mathurā y tantos otros lugares. Si el budismo es pesimista —y no veo cómo un pensamiento crítico pudiese no serlo— su pesimismo es radical e incluye a la negación de la negación: niega a la muerte con la misma lógica con que niega a la vida. Este refinamiento dialéctico le permitió, en su buena época, aceptar y glorificar al cuerpo. En cambio, en los grandes templos hindúes de Khajuraho y hasta en el de Konarak —que es menos rococó y que es realmente imponente en su hermosa vastedad—, el erotismo llega a volverse monótono. Falta algo: la alegría o la muerte, un chispazo de pasión real que sacuda a esas guirnaldas interminables de cuerpos ondulantes y de rostros que sonríen en una suerte de beatitud azucarada. Fabricación en serie del éxtasis: un orgasmo amanerado. La naturaleza tampoco está presente en esos juegos corporales, más complicados que apasionados. El hinduísmo es excesivo no tanto por sus poderes intrínsecos, con ser considerables, cuanto porque ha digerido todas sus heterodoxias y contradicciones; su desmesurada afirmación carece del contrapeso de la negatividad, ese elemento crítico que es el núcleo creador del budismo. Gracias a la negación budista, la India antigua cambiaba, se transformaba y se recreaba; extirpada o asimilada su negación, la India no crece: prolifera. Por esto su erotismo es superficial, epidérmico: un tejido de sensaciones y contracciones. Los cuerpos enredados de Khajuraho equivalen a esos comentarios a un comentario de un comentario de los *Brahmasūtra:* las sutilezas de la argumentación no equivalen siempre a la verdadera profundidad, que es simple. La pululación de senos, falos, caderas, muslos y sonrisas extáticas acaba por empalagar. No en los monumentos budistas, no en Bhārhut y, sobre todo: no en Kārlī. Los grandes relieves esculpidos en los lienzos de la portada de Kārlī son parejas desnudas y sonrientes: no dioses ni demonios sino seres como nosotros, aunque más fuertes y vivos. La salud que irradian sus cuerpos es natural: la solidez un poco pesada de las montañas y la gracia lenta de los ríos anchos. Seres naturales y civilizados: hay una inmensa cortesía en su poderosa sensualidad y su pasión es pacífica. Están allí plantados como árboles —sólo que son árboles que sonríen. Ninguna civilización ha creado imágenes tan plenas y cabales de lo que es el goce terrestre. Por primera y única vez una alta cultura histórica pudo, y con ventaja, rivalizar con el neolítico y sus figurillas de fertilidad. El otro polo del Islam y su geometría de reflejos en el fondo de los estanques.

Capitalismo y protestantismo, Contrarreforma y poesía española, mausoleos mahometanos y templos índicos: ¿por qué nadie ha escrito una historia general de las relaciones entre el cuerpo y el alma, la vida y la muerte, el sexo y la cara? Sin duda por la misma razón que no se ha escrito una historia del hombre. Tenemos, en cambio, historias de los hombres, es decir, de las civilizaciones y las culturas. No es extraño: hasta la fecha nadie sabe qué sea realmente la "naturaleza humana". Y no lo sabemos porque nuestra "naturaleza" es inseparable de la cultura; y la cultura es las culturas. De ahí que el antropólogo norteamericano A. L. Kroeber haya propuesto una doble investigación: primero, hacer un inventario universal de los rasgos característicos —materiales, institucionales y simbólicos— de las distintas culturas y civilizaciones (de paso: una tarea casi infinita), destinado a "determinar los perímetros de la cultura humana"; segundo, hacer otro inventario, "entre los animales subhumanos, de las formas de conducta semejantes o anticipatorias de las formas humanas culturales".* A partir de ese catálogo podría comenzarse a constituir tanto una teoría de la cultura como de la naturaleza humana. No deja de ser desconcertante que todavía no hayamos podido reducir a unidad ni la pluralidad de culturas ni la multiplicidad de genios y temperamentos humanos. Quizá al final de esta tarea, que me recuerda a la de Sísifo pero que los *computers* podrían abreviar, llegaremos a situar, ya que no a definir, nuestra naturaleza. Es evidente que se encuentra en el punto de intersección entre cultura humana y subcultura animal, sólo que ¿dónde está ese punto? Por el momento no nos queda sino repetir que alma y cuerpo, cara y sexo, muerte y vida son rea-

* A. L. Kroeber: *An Anthropologist looks at History*, University of California Press, 1966.

lidades distintas que tienen nombres distintos en cada civilización y, por tanto, distintos significados. No es esto todo: es imposible traducir cabalmente de un área cultural a otra los términos centrales de cada cultura: ni *mukti* es realmente liberación ni *nirvāṇa* es extinción. Lo mismo sucede con el *té* de los chinos, la *democracia* de los griegos, la *virtus* de los romanos y el *yugên* de los japoneses. Cuando nos parece que hablamos de las mismas cosas con un árabe o con un esquimal, tal vez hablamos de cosas distintas; y no sería imposible que lo contrario también fuese cierto. La paradoja de esta situación consiste en lo siguiente: no podemos reducir a un patrón único y unívoco los diferentes significados de todos estos términos pero sabemos que, hasta cierto punto, son análogos. Sabemos asimismo que constituyen la común preocupación de todos los hombres y de todas las sociedades. Apenas se examina con detenimiento esta dificultad, se advierte que nos enfrentamos no tanto a una diversidad de realidades como a una pluralidad de significados. Se me dirá, con razón, que si no sabemos a ciencia cierta qué significan las palabras, menos podremos saber a qué realidades se refieren. Es cierto, sólo que esta crítica alcanza a nuestros propios términos y no nada más a los ajenos: también para nosotros las palabras vida, alma o cuerpo son nombres cambiantes con significados cambiantes y que designan realidades cambiantes. Si aceptamos el aviso de la moderna filosofía del lenguaje, debemos seguirlo hasta el fin: lo que nos aconseja es callarnos —pero callarnos definitivamente. Quizá sea lo más racional, no lo más sabio. Así pues, sin desdeñar a los lógicos, prosigo...

Cada una de las palabras que nos preocupan posee, en el seno de su área lingüística, relaciones más o menos definidas con las otras: vida con muerte, sexo con espíritu, cuerpo con alma. Estas relaciones, por supuesto, no son únicamente bilaterales. Pueden ser triangulares y aún circulares. En efecto, hay un circuito biopsíquico que va de vida a sexo a espíritu a muerte a vida. No obstante, la relación básica es entre pares. Pues bien, esta relación —cualquiera que sea el significado particular de los términos que la componen— es universal: existe en todas partes y, casi seguramente, ha existido en todos los tiempos. Otra circunstancia, no menos decisiva y determinante: en todos los casos nos enfrentamos no a realidades sino a nombres. Por todo esto no es exagerado pensar que alguna vez podremos construir, en el campo de las civilizaciones y tal como Lévi-Strauss y su escuela lo hacen ya en el de las sociedades primitivas, una sintaxis universal. Señalo que esa sintaxis podría constituirse inclusive si, como hasta ahora, no se pudiese abordar plenamente el aspecto semántico. Primero hay que saber cómo funcionan y se relacionan entre ellos los signos y, después, averiguar qué significan. Esa investigación atacaría el problema desde una perspectiva opuesta a la que propone Kroeber. La conjunción de ambas investigaciones sería el punto de partida para una verdadera historia del hombre.

La relación entre los términos no puede ser, fundamentalmente, sino de oposición o afinidad. El exceso de oposición aniquila a uno de los términos que la componen; el exceso de afinidad también la destruye. Por tanto, la relación siempre está amenazada, ya sea por una conjunción exagerada o por una disyunción también exagerada. Además, el predominio excesivo de uno de los términos provoca desequilibrio: represión o relajación. Otrosí: la igualdad absoluta entre ambos produce la neutralización y, en consecuencia, la inmovilidad. De todo esto se deduce que la relación ideal exige, en primer lugar, cierto ligero desequilibrio de fuerzas; después, una relativa autonomía de cada término con respecto del otro. Ese ligero desequilibrio se llama recurso de sublimación (cultura) por una parte y, por la otra, posibilidad de irrigar la cultura con la espontaneidad (creación); y esa limitada autonomía se llama: libertad. Lo esencial es que la relación no sea tranquila: el diálogo entre oscilación e inmovilidad es lo que infunde *vida* a la cultura y da *forma* a la vida. Otra regla, inspirada como las anteriores en las que ha descubierto la antropología estructural: los términos no son inteligibles sino en relación y no aisladamente considerados. Es algo que ya había dicho Chuang-Tzu: la palabra vida sólo tiene sentido frente a la palabra muerte, el calor ante el frío, lo seco por oposición a lo húmedo. Finalmente, en la imposibilidad de traducir los términos que en cada civilización componen la relación (alma/cuerpo, espíritu/naturaleza, purusa/prakṛti, etc.), lo mejor sería usar dos signos lógicos o algebraicos que los englobasen a todos. O bien, las palabras *cuerpo* y *no-cuerpo,* siempre y cuando se entienda que no poseen significación alguna, excepto la de expresar una relación contradictoria. *No-cuerpo* no quiere decir ni *ātman* ni *tê* ni psiquis; simplemente es lo contrario de *cuerpo.* A su vez, cuerpo no posee ninguna connotación especial: denota lo contrario de *no-cuerpo.*

Me parece que si las observaciones que acabo de apuntar se desarrollasen más completamente, hasta darles una formulación sistemática, tal vez podría elaborarse con ellas un método de investigación aplicable lo mismo al estudio de las sociedades que al de los individuos. Digo individuos y no sólo sociedades porque también en ellos y en sus obras, como hemos visto en las de Velázquez y Posada, los signos *cuerpo* y *no-cuerpo* se combaten o reúnen. Aclaro que mi proposición es muy modesta; sugiero algo menos que una sintaxis o una morfología de las culturas: un termómetro. Un instrumento muy simple para medir los grados de frío o de fiebre de un espíritu y de una civilización. El cuadro de las temperaturas de una sociedad en un periodo más o menos largo no equivale, claro está, a su historia, pero las curvas de ascenso y descenso son un índice precioso sobre su vitalidad, su resistencia y su capacidad de afrontar otras caídas y subidas. La comparación entre los cuadros de temperatura de distintas civilizaciones puede enseñarnos, o más bien: confirmar lo que todos sabemos empíricamente, que hay civilizaciones frías, civilizaciones cálidas y otras en las que los periodos de fiebre se alternan bruscamente con los de hielo. ¿Y cómo mueren las civilizaciones? Unas, las frías, por una explosión de calor; las cálidas por

...son árboles que sonríen [*p. 40*]

un lento enfriamiento que produce una desecación y, después, una pulverización; otras, demasiado recluidas, perecen apenas se exponen a la intemperie y otras duermen milenios en la tibieza de una temperatura normal o se suicidan en el delirio de la fiebre.

Aunque nunca de una manera explícita y sistemática, muchas veces se han estudiado las relaciones entre los signos que orientan la vida de las civilizaciones. Apenas si es necesario recordar los trabajos de Georges Dumézil sobre los indoeuropeos y lo que él llama su "ideología tripartita". Se trata de una hipótesis tan arriesgada como fecunda y que abre un nuevo camino no sólo a los estudios de mitología comparada sino también a los de las distintas civilizaciones. Desde la perspectiva descubierta por Dumézil quizá algún día alguien osará estudiar las civilizaciones del Extremo Oriente (China, Corea, Japón) y de la América precolombina. No sería imposible que ese estudio verificase lo que muchos sospechamos: la tendencia de ambas civilizaciones a pensar en términos cuadripartitos es algo más que una mera coincidencia. Tal vez la dualidad, el pensar por pares, sea común a todos los hombres y lo que distingue a las civilizaciones es la manera de combinar la pareja básica: estructuras tripartitas, cuadripartitas, circulares... Otro ejemplo, ahora en el interior de un periodo histórico determinado: el clásico estudio de Huizinga sobre el fin de la Edad Media. El historiador holandés describe las relaciones encarnizadas del principio de placer y del instinto de muerte, las represiones del segundo y las rebeliones del primero, la función del gasto y el holocausto en los torneos y el erotismo, la avaricia y la prodigalidad de los príncipes y la encarnación de todas estas tensiones contradictorias en las figuras antitéticas de Luis XI y de Carlos el Temerario. También puede estudiarse la sucesiva y alternativa dominación de cada uno de estos principios (signos) en el curso de la historia de una civilización. Se ha hecho ya varias veces y de un modo brillante. Uno de los campos favoritos de exploración es el contraste, en Occidente, entre la tonalidad espiritual exaltada de los siglos XII y XIII y la coloración sensual del Renacimiento. En esta esfera debemos a E. R. Dodds una magistral descripción del origen y de la progresiva y asfixiante dominación del concepto de *alma* sobre las antiguas creencias griegas hasta que la rebelión del *cuerpo* desintegró la fábrica de la ética social.* El mismo Dodds ha publicado otro libro *(Pagan and Christian in an Age of Anxiety,* Londres, 1965) que puede considerarse el complemento del anterior. Abarca el periodo que va de Marco Aurelio a Constantino. En su primer libro describe la rebelión de lo irracional *(cuerpo)* contra los rigores de la filosofía clásica y sus construcciones racionales; en el segundo, examina el trasfondo irracional y angustiado de la civilización antigua en su crepúsculo y la transformación de esos impulsos en una nueva racionalidad religiosa *(no-cuerpo).* Los libros de Dodds son algo más, por supuesto, pero lo que deseo destacar es la intervención decisiva de los signos que he llamado *cuerpo* y *no-cuerpo.*

La comparación entre civilizaciones distintas es el dominio en que reina, o reinaba hasta hace poco, Toynbee. Antes fue el de Spengler, hoy desacreditado y no siempre con justicia. Entre los estudios recientes de este género hay uno, muy estimulante para nosotros, los latinoamericanos, de Jacques Soustelle: *Les Quatre Soleils* (París, 1967). En ese libro el antropólogo francés ofrece un puñado de reflexiones sobre la suerte posible de la civilización de Occidente. La particularidad del ensayo reside en que la perspectiva del autor es la de las concepciones cosmogónicas de los antiguos mayas y mexicanos. Creo que es la primera vez que alguien contempla la historia universal desde el mirador de la civilización mesoamericana. Soustelle señala la sorprendente modernidad del pensamiento precolombino.* Por mi parte sub-

* *The Greeks and the Irrational,* Londres, 1951.
* Soustelle hace varias observaciones penetrantes sobre un tema que es, o debería ser, vital para nosotros: la viabilidad de una futura civilización "indo-latina", más o menos "afiliada" a la occidental. Este libro no ha sido comentado, hasta

rayo que esa cosmogonía en perpetua rotación, hecha de la alternativa preeminencia del principio creador y del destructor, revela un pesimismo y una sabiduría no menos profundos que los de Freud. Es un nuevo ejemplo, tal vez el más claro, de la relación dinámica entre los signos *cuerpo* y *no-cuerpo*. Otra analogía: en la filosofía del movimiento de los mesoamericanos la noción de catástrofe cósmica —el fin de cada sol o era por un cataclismo— equivale a nuestra moderna noción de *accidente,* tanto en las ciencias como en nuestra vida histórica. (Más adelante desarrollaré esta observación.) A la modernidad de su idea acerca de la inestabilidad y precariedad de la existencia —un cosmos que se destruye y se recrea continuamente— debe añadirse otro rasgo que los acerca aún más a nosotros: el excesivo crecimiento de los instintos agresivos en la fase final de esa civilización. El sadismo de la religión azteca y su puritanismo sexual, la institución de la "guerra florida" y el carácter riguroso de las concepciones políticas tenochcas son expresiones de una disyunción exagerada entre los signos *cuerpo* y *no-cuerpo*. Entre nosotros corresponde a la idea de la técnica como voluntad de poder, al auge de las ideologías militantes, al puritanismo de los países del Este europeo y a su contrapartida: la promiscuidad en frío y no menos fanática del Oeste y, en fin, al ánimo guerrero de todas nuestras empresas, sin excluir a las más pacíficas. La misma estética es militar entre nosotros: vanguardia, avanzadas, rupturas, conquistas. El paralelo con el arte náhuatl es sorprendente: el sistema simbólico de la poesía azteca —metáforas, comparaciones, vocabulario— era una suerte de doble verbal de la "guerra florida" que, a su vez, era el doble de la guerra cósmica. El mismo sistema analógico regía a la arquitectura sagrada, a la escultura y a las otras artes; todas son representaciones del movimiento universal: la guerra de los dioses, la de los astros y la de los hombres.

donde llegan mis noticias, por los historiadores y antropólogos mexicanos. Tampoco por los de los otros países latinoamericanos. Es lamentable y, también, revelador.

Todos estos ejemplos revelan que hay una suerte de *combinatoria* de los signos centrales de cada civilización y que de la relación entre esos signos depende, hasta cierto punto, el carácter de cada sociedad e incluso su porvenir. En la segunda parte de estas reflexiones mostraré, de una manera más concreta y sistemática, las formas —algunas formas— de unión y separación de los signos. En todos los casos y por más acusada que sea la disyunción o la conjunción, la relación no desaparece. La asociación de los signos, cualquiera que sea: tensa o relajada, es lo que nos distingue a los hombres de los otros animales. O sea: lo que nos hace seres complejos, problemáticos e imprevisibles. Como la dialéctica de la oposición y la fusión se despliega en todos los hombres y en todas las épocas, utilizaré el método de la comparación. Me serviré de ejemplos extraídos de Occidente, India y China por esta razón: creo que la civilización india es el otro polo de la de Occidente, la *otra versión del mundo indoeuropeo*. La relación entre India y Occidente es la de una oposición dentro de un sistema. La relación de ambos con el Extremo Oriente (China, Japón, Corea y Tibet) es la relación entre dos sistemas distintos. Así, en el caso de estas reflexiones, los ejemplos chinos no son ni convergentes ni divergentes: son excéntricos. (¿Cuál es el otro polo del mundo de China y Japón? Tal vez la América precolombina.) Por último, sería injurioso para el buen sentido del lector advertirle que no pretendo reducir la historia a una combinación de signos como la de los hexagramas de *I Ching*. Los signos, sean los del cielo o los de la ciencia moderna, no dicen nuestro destino: nada está escrito.

3. EVA Y PRAJÑĀPARAMITĀ

Cualesquiera que sean el nombre y la significación particular de *cuerpo* y *no-cuerpo* dentro de cada civilización, la relación entre estos dos signos no es ni puede ser sino inestable. Las nociones de salud y normalidad son inaplicables en este dominio, ya que esa relación precisamente es la expresión de nuestra "enfermedad" constitucional: ser animales que secretan cultura, espíritu, sublimaciones. En cambio, por más oscilante y precaria que sea la relación —perpetuamente expuesta a las embestidas de muerte y vida, cara y sexo— sí hay raros momentos de equilibrio dinámico. Repito que esos momentos no son de tregua sino de diálogo contradictorio y creador. He mencionado al arte budista indio que va de Bhārhut y Sāñchī a Mathurā, Kārlī y Amarāvatī; un ejemplo paralelo en Occidente sería el arte de la Edad Media, del románico al gótico. En el primero el acento se carga en lo corpóreo, por oposición complementaria al intelectualismo crítico y al rigor ascético del budismo; frente al catolicismo medieval —más corporal y menos radical en su crítica del mundo y de la existencia— las figuras de las vírgenes y los santos, por la misma ley de oposición complementaria, afirman el elemento espiritual e incorpóreo. Los genios de fertilidad masculina y femenina *(yakṣa y yakṣi)* y las parejas eróticas *(maithuna)* que cubren las partes exteriores de las *caityas,* rodean al santuario mismo del vacío: a un hombre desencarnado, el Buda; las vírgenes, santos y ángeles de las catedrales e iglesias medievales, a un dios encarnado, el Cristo. El extremo de la desencarnación es la figuración del Buda por sus símbolos anicónicos: la estupa, el árbol de la iluminación, el trono, la rueda de la doctrina; la respuesta a esta abstracción es la vitalidad y sensualidad de las esculturas de las *yakṣis.* El extremo de la encarnación es la representación del nacimiento de Cristo y de los episodios de su vida terrestre, sobre todo el de su pasión y sacrificio; la respuesta a la sangre y al cuerpo martirizado del dios-hombre es el vuelo celeste y la transfiguración de los cuerpos.

El gran arte budista coincide con la aparición, hacia el primer siglo después de Cristo, de los primeros *Sūtra Prajñāparamitā*, origen de la tendencia *mādhyamika*. Esta doctrina profesa un relativismo radical que la lleva a sostener como única realidad la vacuidad absoluta *(śūnyatā)*. Por ser todo relativo, todo participa de la no-realidad absoluta, todo es vacuo; por tanto, se tiende un puente entre el mundo fenomenal *(saṃsāra)* y la vacuidad; entre la realidad de este mundo y su irrealidad. Por una parte, realidad e irrealidad son términos relativos, interdependientes y opuestos; por la otra, son idénticos. A su vez, el arte de la Alta Edad Media es contemporáneo de la escolástica, que ahonda y refina la noción aristotélica de los grados del ser, tal como lo expresa el realismo moderado de Santo Tomás de Aquino. Así pues, las dos religiones postulan diversos niveles de realidad ontológica, la primera en dirección hacia la vacuidad y la segunda hacia el pleno ser. Esos niveles son grados o mediaciones entre lo corpóreo y lo espiritual, el principio de placer y el de extinción. De esta manera abren un abanico de posibilidades para combinar los signos contradictorios. De ahí que aparezcan lo mismo en los santuarios budistas que en las catedrales cristianas, monstruos grotescos y representaciones licenciosas o cómicas lado a lado de las imágenes del Buda, del Cristo y de sus símbolos sagrados. Entre el inframundo y el mundo superior hay una graduación de modos del ser —o de modos de la vacuidad. En ambos casos, el equilibrio consiste, como ya he dicho, en un leve desequilibrio: corporeidad y sensualidad en el budismo y, en el catolicismo medieval, transfiguración espiritual de los cuerpos. Una religión que niega realidad al cuerpo, lo exalta en su forma más plena: el erotismo; otra que ha hecho de la encarnación su dogma central, espiritualiza y transfigura a la carne.

La evolución divergente de estos dos movimientos

—la dialéctica inherente a la relación contradictoria entre los signos *cuerpo* y *no-cuerpo*— es ejemplar en ambas religiones. El budismo nace en un medio no-sacerdotal y aristocrático: Gautama pertenecía al clan real de los *śākya* y era, en consecuencia, de casta guerrera; su prédica fue acogida inmediatamente por los nobles y, sobre todo, por los mercaderes, de modo que pronto se convirtió en la religión de renuncia de una clase urbana, cosmopolita y acaudalada; en su última expresión india, el tantrismo, se transforma en una religión de místicos errantes, fuera de la sociedad y floreciente en las castas populares. El cristianismo nace en un medio sacerdotal y proletario: Jesús es hijo de un carpintero y un descendiente de la casa de David; los primeros cristianos pertenecen al mundo que vive en la periferia social del Imperio romano; después el cristianismo fue la religión oficial de un Imperio y, más tarde, él mismo adoptó una organización imperial; en su forma final, el protestantismo, se convierte en la religión ascética del capitalismo.

No es exagerado afirmar que el cristianismo termina en el punto donde comienza el budismo. Este último, al iniciar su carrera de religión universal, era una secta más entre las que, en el siglo VI antes de Cristo, emprendían la crítica de la religión bramánica y repensaban la tradición de los *Upaniṣads*. Las figuras de Gautama, Mahavira y otros reformadores religiosos recuerdan, en este sentido, a los teólogos de la primera época de la Reforma, a los Lutero, Zwinglio y Calvino. Pero en el curso de su historia el budismo descarta más y más sus tendencias originales, críticas y morales, para acentuar progresivamente sus rasgos metafísicos y rituales: los sistemas filosóficos Mahayana, el culto a la imagen del Buda, la aparición de los Bodisatvas como salvadores de los hombres, la doctrina de la compasión universal de los Budas, la perfección y complejidad progresiva del ritual y las ceremonias. Etapas: crítica de la religión tradicional; filosofía religiosa; religión metafísica; religión ritualista. Una evolución contraria se observa en el cristianismo: nace como una doctrina de salvación y un anuncio del fin del mundo, esto es, como una verdadera religión y no sólo como una crítica ni una simple reforma del judaísmo; se enfrenta al pensamiento pagano y crea, con los Padres de la Iglesia, una filosofía; construye en la Edad Media un gran sistema metafísico; pasa, en la Reforma, de la metafísica a la crítica y del rito a la moral. Movimientos análogos y en direcciones opuestas: en el budismo, de la crítica y la moral a la metafísica y la liturgia; en el cristianismo, tránsito de la metafísica a la moral y, en la esfera ritual, desvanecimiento paulatino de la noción de eucaristía, o sea, supremacía de la palabra evangélica (la moral) sobre la presencia divina (el sacramento). Encarnación y desencarnación.

La evolución de los estilos artísticos no ofrece, a primera vista, la misma correspondencia. Se trata, a mi entender, de un error de perspectiva. Si se delimita con cierta precisión el campo de la visión, la simetría inversa reaparece, aunque no con la misma nitidez que en el caso de la evolución histórica y religiosa. La primera dificultad consiste en que ni el arte cristiano ni el budista coinciden, respectivamente, con los límites espaciales y temporales de las civilizaciones occidental e india. Por tanto, debe determinarse el área de la comparación: en un caso, el arte cristiano de Occidente, con exclusión del arte del cristianismo primitivo (apéndice grecorromano), el bizantino, el copto, el sirio; en el otro, el arte budista indio, también con exclusión del arte greco-romano-budista y los de China, Corea y Japón, pero sin excluir a los de Ceilán, Java, Cambodia y Birmania, que son parte, desde el punto de vista de los estilos, de la civilización india. (Nepal y Tibet ocupan un lugar intermedio y singular.) El segundo obstáculo a la comparación es la diferente evolución de las dos civilizaciones. Conviene de nuevo delimitarlas: la de Occidente está afiliada directamente, para emplear el vocabulario de Toynbee, a la grecorromana; el caso de la India es más difícil: ¿el mundo védico representa lo que la civilización grecorromana para Occidente o es simplemente el primer periodo de la civilización índica? Cualquiera que sea nuestra respuesta a esta pregunta, es claro que hacia el siglo VI a. C. se inicia algo nuevo en la India —sea una fase distinta de la civilización védica o una nueva civilización.* Ahora bien, Kroeber distingue dos fases en la civilización occidental: la católica medieval y la moderna. La culminación de la Alta Edad Media fue seguida por una etapa de disgregación y confusión, a la que sucedió, por una revolucionaria recombinación de los elementos de nuestra civilización, un nuevo periodo: éste que ahora vivimos y que, según parece, llega a su fin. En Occidente ocurrió lo que el mismo Kroeber llama "a reconstitution within civilizations". En efecto, entre el universo de Newton y el de Einstein hay diferencias pero son el mismo universo; el de Santo Tomás y Abelardo es otro universo, distinto al nuestro. En cambio, la India no conoció, del siglo VI a. C. al siglo XIII, nada semejante al Renacimiento, la Reforma, el siglo de las luces y la revolución industrial. No hubo "reconstitución" sino repetición, manierismo, autoimitación y, al final, esclerosis. No fueron las invasiones de los hunos blancos las que acabaron con la civilización india, aunque la hayan quebrantado; lo determinante fue la incapacidad para reconstituirse o autofecundarse. Dos circunstancias explican, tal vez, la lenta petrificación de la India y su final pulverización medieval: primero, que la Reforma (el budismo) se sitúa en el comienzo de esa civilización; segundo, que el triunfo de la Contrarreforma hindú desalojó a las clases burguesas, patronas del budismo, del centro de la vida social y colocó en su lugar, al desplomarse el imperio de los Gupta, a los jefes de armas locales y a los bramines. Esto último

* La relación entre la civilización del Indo y la de India es, por lo menos, dudosa. Aparte de estar separadas por un milenio o más, la del Indo parece más afín al mundo mesopotamio y, específicamente, al sumerio-babilonio. No obstante, en el hinduísmo aparecen rasgos que quizá procedan de Mohenjo Daro y Harappa, tales como el culto a Siva y a la Gran Diosa. Algunos aventuran que las prácticas yógicas y el régimen de castas tienen el mismo origen pre-ario.

significó el fin de la monarquía central y, por tanto, de un Estado pan-indio: consolidación del feudalismo y del régimen de castas. La civilización india terminó en lo que llaman los historiadores, con involuntaria propiedad, Edad Media hindú. Puede decirse así que, en sus grandes trazos, la historia india es un proceso simétrico e inverso al de Occidente... Todo lo anterior lleva a esta conclusión: para que la comparación tenga sentido debe hacerse entre la primera fase de la civilización occidental (catolicismo medieval) y la civilización india desde el siglo vi a. C. No importa la disparidad de tiempos: lo que pasó en cerca de dos mil años en la India, sucedió en Occidente en menos de un milenario.

La primera analogía inversa es la relación del arte cristiano de Occidente con el grecorromano y la del budista indio con el llamado arte de Gandhāra (en realidad: greco-romano-budista). En Occidente: relación de filialidad; en la India: un arte de civilizaciones extrañas llevado a la región del noroeste y a la llanura gangética por unos invasores también extranjeros. En seguida: Occidente asimila la herencia grecorromana, absorbe las influencias bizantinas y bárbaras y crea un arte propio que no se extiende a otras civilizaciones; la India absorbe la influencia extraña sólo para oponerse a ella con más vigor (Mathurā) y exporta ese arte extraño, ya indianizado, al Asia Central, China y Japón. La segunda analogía inversa se deduce de la comparación entre la evolución del arte cristiano y la del budista en relación con el arte de otras religiones: el arte cristiano, en su periodo pre-occidental, utiliza las formas del arte pagano; el budista, a partir sobre todo de la dinastía gupta, se confunde estilísticamente con el arte hindú. Tercera analogía: el arte cristiano comienza antes de la civilización de Occidente, se convierte en el único arte de Occidente y no traspasa las fronteras de esa civilización; el arte de la India comienza por ser, predominantemente, el arte del budismo, posteriormente expresa sobre todo al hinduísmo y, una vez extinta o en agonía esta civilización, se prolonga todavía con extraordinario brillo en Cambodia y Birmania.*

Las analogías anteriores son demasiado toscas y globales. La simetría inversa se precisa si se comparan más de cerca los distintos periodos estilísticos del arte cristiano de Occidente y del indio budista. En Occidente los historiadores de arte distinguen cuatro momentos: el formativo, el románico, el gótico y el gótico florido. La periodización del arte indio es más incierta y el vocabulario• aún más vago. En general se mencionan tres etapas: la budista, la gupta y postgupta, la medieval hindú. A su vez, tanto por su duración cuanto por sus cambios estilísticos, el periodo budista puede y debe dividirse en dos: uno formativo, no sin semejanzas con el de Occidente, que tiene su más acabada expresión en las balaustradas de la estupa de Bhārhut; el otro es el del mediodía: Mathurā, Sāñchī (toranas de la gran estupa), Amarāvatī, Nāgārjunanikonda, Kārlī. El periodo temprano está precedido por una etapa en la que el budismo primitivo no posee lo que se llama propiamente un estilo artístico; al gótico florido, el final en Occidente, suceden un cambio estilístico que es una ruptura total con la cristiandad medieval (el Renacimiento) y un movimiento religioso que no posee tampoco un estilo propio: la Reforma.

Los relieves de Bhārhut son la primera gran obra del arte indio. Con esas admirables esculturas nace el estilo de una civilización. Un estilo que ni los cambios históricos y religiosos ni las influencias extrañas —como la de Gandhāra— modificarán substancialmente y que se prolonga hasta los siglos XIII y XIV. Antes de Bhārhut no hay nada que merezca el nombre de estilo: ni las estupas que vienen del periodo védico ni el arte cosmopolita de la dinastía Maurya. El periodo formativo del arte de Occidente surge también de una zona indecisa en materia de estilo: las influencias bárbaras, las bizantinas y el pasado grecorromano. El arte carolingio

---

* La evolución del jainismo es curiosa: empieza por ser un rival menor del budismo y termina por convertirse en una variante del hinduísmo.

es una tentativa fallida de resurrección de un estilo imperial; el de los Mauryas es otro intento, también fallido, de adopción de un estilo imperial extraño.* El arte de Occidente y el de la India, en sus períodos formativos, son tanto una reacción contra los dos falsos universalismos que los preceden (arte carolingio y cosmopolitismo greco-persa de los Maurya) como una transformación de la herencia más propia: en un caso el pasado grecorromano y el arte bárbaro y, en el otro, la estupa védica o prevédica. Son dos estilos que se buscan a sí mismos y que se encuentran, respectivamente, en Cluny y en Bhārhut. Estas semejanzas externas hacen más reveladoras las oposiciones de sentido y orientación espirituales. En Bhārhut la balaustrada en torno al símbolo anicónico del Desencarnado es una decidida exaltación de la vida sensual y profana. La separación es absoluta pero la representación de escenas de las vidas anteriores del Buda *(jātakas)* tiende un puente entre los atributos del signo *cuerpo* y la ausencia de atributos del signo *no-cuerpo*. El arte bizantino había estilizado la presencia hasta convertirla en símbolo atemporal; las artes de los bárbaros también tendían a la abstracción y la ornamentación; en ambas tendencias predomina el signo sobre la figura humana, la línea sobre el volumen: antiescultura. El arte medieval cristiano reinventa el arte de la escultura que es, ante todo y sobre todo, la representación de la figura sagrada: el cuerpo del Dios encarnado. La primera gran obra de la escultura románica es, tal vez, el tímpano de la portada de Saint-Pierre de Moissac. Es una representación del Juicio Final: la figura del Señor —hierática,

* Ananda Coomaraswamy sostiene que no hay tal influencia persa y que los pilares y capiteles de Aśoka revelan más bien una relación general con el arte de Asia occidental, especialmente Babilonia y Asiria, que con Persépolis. A mi juicio todo parece indicar lo contrario: las relaciones estrechas de los Maurya con los Seleucidas; la presencia de artesanos persas y griegos en Pataliputra, capital del Imperio indio; sobre todo, el pulido y el acabado de esos pilares y de las figuras de animales que coronan los capiteles, en la mejor tradición del arte híbrido, oficial e imperial de la corte del Gran Rey y de sus sucesores griegos.

irradiante, inmensa— rodeada de vivaces figuras minúsculas. El contraste es significativo: en Bhārhut la Nada es dios y todo la adora; en Saint-Pierre el ser es Dios y rige al todo.

Los dos momentos siguientes son: en la India, el apogeo del arte budista indio ỳ, en Occidente, la madurez del románico. Ya me he referido a la terrestre sensualidad de las *yakṣis* de Kārlī, Mathurā y Sāñchī; señalo ahora la vitalidad, a veces demoníaca y otras divina, de la escultura románica. En un caso, el cuerpo en su expresión más elemental, sensual y directa; en el otro, el cuerpo atravesado por fuerzas e impulsos ultramundanos no corpóreos. La contrapartida: en el budismo, la disolución de los mundos; en el cristianismo, la resurrección de la carne. En esta época empieza a representarse al Buda como una presencia y no únicamente por sus símbolos. Este cambio es una de las consecuencias de la gran revolución religiosa que experimenta el budismo: los *Sūtras Prajñāparamitā* proclaman la doctrina de los Bodisatvas; un poco después, Nāgārjuna y sus continuadores elaboran y refinan la noción de *śūnyatā*. Por lo primero, se introduce un elemento afectivo en el austero rigor budista: las figuras de los Bodisatvas que, movidos por la compasión, renuncian al estado búdico o, mejor dicho, lo trascienden: su misión es salvar a todos los seres vivientes;* por lo segundo, gracias al relativismo radical de Nāgārjuna, el budismo recupera al mundo. El puente entre la existencia y la extinción cesa de ser un puente: la vacuidad es idéntica a la realidad fenomenal y percibir su identidad, realizarla, es saltar a la otra orilla; alcanzar la "Perfecta sabiduría" *(prajñā-paramitā)*. El arte románico conjuga las ideas de orden y ritmo. Concibe

* El ideal del budismo hinayana es el *Arhat,* el asceta que por la concentración y la meditación alcanza el Nirvāṇa y abandona el mundo fenomenal *(saṃsāra);* el budismo mahayana exalta la figura del Bodisatva, en el que la "Perfecta sabiduría" se une a la Compasión; en su forma última *(Vajrayāna)* el budismo tántrico acentúa el elemento pasional de la Compasión. En consecuencia, al referirme al tantrismo, más adelante, escribiré (com) Pasión, aunque la palabra sánscrita sea la misma: *Karuṇa.*

al templo como un espacio que es el ámbito de lo sobrenatural. Pero es un espacio terrestre: el templo no quiere escaparse de la tierra sino que, trazado por la razón y medido por el ritmo, es el lugar de la manifestación de la Presencia. El viejo espíritu griego y mediterráneo, en su doble inclinación por la forma humana y por la geometría, se expresa otra vez y ahora en un lenguaje nuevo... En la India, una racionalidad estricta y devastadora rompe los límites entre la realidad fenomenal y lo absoluto y recupera al signo *cuerpo,* que deja de de ser lo opuesto del *no-cuerpo.* En Occidente, la razón traza los límites del espacio sagrado y construye templos a imagen de la perfección absoluta: morada terrestre del *no-cuerpo.* Son los dos grandes momentos del budismo y el cristianismo y en ambos se alcanza, ya que no una imposible armonía entre los dos signos, un equilibrio dinámico: una plenitud.

El arte gupta y postgupta corresponden, en sentido inverso, al gótico. Primera diferencia: el periodo gupta y postgupta es ante todo una época de renacimiento hindú, especialmente visnuita. La gran innovación en arquitectura es la invención del prototipo del templo hindú, en tanto que la escultura budista es menos interesante;* lo mismo debe decirse de la arquitectura y la pintura (sobre lo que haya sido esta última nos dan una idea los frescos, tardíos, de Ajantā). Así, a diferencia de lo que ocurre en Occidente, un mismo estilo artístico sirve para expresar distintas instituciones y tendencias religiosas: hinduísmo, budismo, jainismo. Lo mismo había sucedido antes, sólo que en los dos primeros periodos el arte indio fue esencialmente budista y en éste el budismo no sólo coexiste con el hinduísmo sino que termina por cederle el sitio central. En Occidente hay una sola religión y un estilo único; en India, varias religiones con un mismo estilo. El cambio en Occidente es artístico: se pasa del románico al gótico. En la India no hay cambio sino

* Cf. Hermann Goetz: *India,* Art of the world series, Londres, 1959.

maduración de un estilo y comienzo de un manierismo; el verdadero cambio es religioso: crecen las tendencias teístas* y el budismo exagera y complica su panteón. El arte gótico es sublime: la catedral no es el espacio que recibe a la presencia sino que vuela hacia ella. El signo *no-cuerpo* volatiliza las figuras y la piedra misma está poseída por un ansia espiritual. El arte gupta es sensual incluso en sus expresiones más espirituales, tales como los rostros contemplativos y sonrientes de Viṣṇu o el Buda. El gótico es flecha o espiral atormentada; el estilo gupta ama la curva que, se repliegue o se despliegue, palpita: el fruto, la cadera, el seno.

La espiritualidad sensual postgupta —tal como se ve en Ajantā, Elefanta o Mahabalipuram— es ya un estilo de tal modo sabio que no tarda en desembocar en un barroquismo: las inmensas y delirantes catedrales eróticas de Khajuraho y Konarak. Otro tanto sucede, en dirección inversa, con el gótico florido. En los dos estilos triunfa la línea sinuosa y en los dos la línea se enlaza, desenlaza y vuelve a enlazarse hasta crear una vegetación tupida. El templo como un bosque hecho más de ramas y hojas que de troncos: proliferación superflua ya sea de lo espiritual o de lo corporal. En ambos: manipulación místico-erótica. Incendios labrados: el signo *no-cuerpo* es todopoderoso en el gótico florido; el signo *cuerpo* cubre los muros de los templos hindúes. Esta semejanza estilística subraya tres oposiciones de orden histórico. La primera: el arte de la llamada Edad Media india es predominantemente hindú y subsidiariamente budista, en tanto que el gótico florido es exclusivamente cristiano. La segunda: el arte indio se sobrevive y aún se regenera fuera de la India, sobre todo en Angkor, mientras que el cristiano se extingue en Occidente. Por último: después del arte medieval hindú no hay nada en la India: es el fin no sólo de un estilo sino de una

* El término teísmo es equívoco: la adoración a un dios hecho persona o imagen de ninguna manera implica la noción de un dios creador y único como en Occidente.

civilización; después del gótico florido, surge otro arte y un nuevo Occidente.

Todas estas semejanzas y oposiciones se resumen en una: la del budismo primitivo y la reforma protestante. Dos religiones sin estilo artístico propio: una porque aún no lo había creado, la otra porque había desechado el que le ofrecía el catolicismo romano. Ahora bien, por más austera que sea, una religión sin liturgia, símbolos, templos o altares, no es una religión. Así, el budismo primitivo utilizó el estilo que tenía a la mano y lo modificó como pudo; otro tanto hizo el protestantismo. Aunque no conocemos los santuarios del budismo primitivo, los testimonios de la literatura y de la arqueología nos dan una idea bastante aproximada.* No deben haber sido muy distintos de las iglesias protestantes: la misma sobriedad y simplicidad; el mismo horror por las imágenes realistas del Crucificado y del Iluminado; la misma veneración por los símbolos abstractos: la cruz y la rueda, el libro y el árbol... Esta breve descripción del doble movimiento del arte budista indio y del cristiano medieval —uno de la desencarnación a la encarnación y el otro de la encarnación a la desencarnación— muestra que en ciertos momentos coinciden casi completamente. Coincidencia ilusoria: cada religión sigue su propio camino y no se cruza con la otra ni en el tiempo ni en el espacio. Cada una dibuja una espiral sin saber que reproduce, en sentido inverso, a la que dibuja la otra, como si se tratase de una duplicación, pero más perfecta y compleja, de ese juego de simetrías que Lévi-Strauss ha descubierto en el sistema mitológico de los indios americanos. No es difícil deducir la conclusión de todo esto: si esas dos religiones no se tocan en la historia, en cambio se cruzan en estas páginas. Y se cruzan porque el espíritu de todos los hombres, en todos los tiempos, es el teatro del diálogo entre el signo *cuerpo* y el signo *no-cuerpo*. Ese diálogo *es* los hombres.

* Cf. *Histoire du Bouddhisme Indien,* por Étienne Lamotte, Lovaina, 1958.

A continuación ofrezco un cuadro que muestra las relaciones —semejanzas y oposiciones— entre el arte cristiano medieval y el budista indio:

ENCARNACIÓN

O	I		V	I
C				
C	II		IV	N
I				
D	III		III	D
E				
N	IV		II	I
T				
E	V	*(sin estilo)*	I	A

DESENCARNACIÓN

Los números romanos de la columna izquierda (Occidente) designan: I: Periodo formativo (postcarolingio); II: Románico; III: Gótico; IV: Gótico florido; V: Reforma protestante (sin estilo propio). En la columna derecha (India): I: Budismo primitivo (sin estilo propio); II: Periodo formativo (postmaurya); III: Arte de Mathurā, Sanchi, Andhra e India occidental; IV: Gupta y postgupta; V: Edad Media hindú.

JUICIO DE DIOS, JUEGOS DE DIOSES

La última y más extrema expresión de la corporeización budista es el tantrismo; la fase final y más radical de la sublimación cristiana es el protestantismo. El paralelo entre estas dos tendencias religiosas es doblemente impresionante: por ser ejemplo de exagerado desequilibrio entre los signos *cuerpo* y *no-cuerpo* y porque ese común desequilibrio asume, de nuevo, la forma de una simetría inversa. Las oposiciones entre el tantrismo y el protestantismo son del género luz y sombra, calor y frío, blanco y negro. Ambos se enfrentan al conflicto insoluble entre el cuerpo y el espíritu (vacuidad para el budista) y ambos lo resuelven por una exageración. El protestantismo exagera la separación entre el cuerpo y el espíritu, en beneficio del segundo; el tantrismo postula la absorción del cuerpo, otra vez en beneficio del "espíritu" (vacuidad). Los dos son ascéticos, sólo que en uno predomina la represión del cuerpo y en el otro su reintegración. Dos actitudes que engendran dos tipos obsesivos de sublimación: una moral y utilitaria, otra amoral y mística.

Como es sabido, hay un tantrismo hindú y uno budista. Las manifestaciones de uno y otro, sea en la esfera de las prácticas rituales y contemplativas *(sādhanā)* o en la de la doctrina y la especulación, son a veces indistinguibles. Las relaciones entre estas dos tendencias no han sido enteramente dilucidadas y los especialistas discuten todavía si se trata de un préstamo hindú *(śāktismo* y *śivaismo)* al budismo o a la inversa. Lo más probable es que su origen haya sido común y que hayan crecido simultánea y paralelamente pero sin confundirse nunca del todo. No obstante, la opinión más reciente tiende a sostener la anterioridad y la influencia del budismo tántrico sobre el hindú. En efecto, según André Bareau, ya desde el siglo III aparecen traducciones al chino de fórmulas tántricas budistas *(dhāraṇī)*. El peregrino Hiuan-tsang, que visitó la India cuatro siglos más tarde, "señala que los monjes budistas de la provincia de Uddiyāna recitaban las mismas fórmulas". Los dos grandes focos del tantrismo budista fueron, en la India occidental, la región de Uddiyāna (el valle de Swat) y en la oriental los actuales estados de Bengala, Bihar y Orissa. En estos últimos el tantrismo (hindú) todavía está vivo. Aunque la historia del tantrismo está por hacerse, es evidente que sus dos ramas son expresiones de un tronco común. El diálogo entre budismo e hinduísmo se transforma, en el tantrismo, en algo así como un dúo amoroso: arrebatados por la misma melodía, los protagonistas se quitan las palabras de la boca.

Agehananda Bharati observa que el tantrismo hindú y el budista no contienen ninguna novedad especulativa, o nada que no esté ya en las doctrinas del hinduísmo y en las del budismo mahayana.* La originalidad de ambos está en las prácticas y, sobre todo, en el énfasis con que proclaman la eficacia de esas prácticas: la liberación *(mukti/śūnyatā)* es una experiencia que podemos realizar aquí y ahora. Ambas tendencias coinciden en afirmar que esa experiencia consiste en la abolición o fusión de los contrarios: lo femenino y lo masculino, el objeto y el sujeto, el mundo fenomenal y el trascendental. Un absoluto que es el ser pleno para el hindú y la vacuidad inefable para el budista. La tradición india había afirmado también, y en términos semejantes, la abolición o fusión de los contrarios *(samanvaya)* y la ascensión a un estado de deleite indescriptible, no sin analogía con los de nuestros místicos: unión con lo absoluto *(ānanda)* o disolución en la vacuidad *(samatā)* o regreso al principio del principio, a lo innato *(sahaja)*. Lo característico del tantrismo consiste en la decisión de abandonar la esfera conceptual y la de la moralidad corriente (buenas obras y devociones) para internarse en una verdadera "noche oscura" de los sentidos. El tantrismo predica una experiencia total, carnal y espiritual, que ha de verificarse concreta y realmente en el rito.

Tanto el tantrismo budista como el hindú recogen —más exacto sería decir: *reincorporan*— una antiquísima tradición de ritos orgiásticos y de fertilidad probablemente anterior a la llegada de los arios al subcontinente indio y que, por tanto, remonta por lo menos al segundo milenario antes de Cristo. El culto a la Gran Diosa y a un dios asceta y fálico, que algunos identifican como un proto-Siva, aparece ya en la civilización del Indo, según dije más arriba. Se trata de una tradición subterránea que riega el subsuelo religioso de la India y que no ha cesado de alimentar, hasta nuestros días, a las grandes religiones oficiales. Su posición y su función, dentro del universo religioso, podría tal vez asemejarse a las de la hechicería medieval en Occidente, con ciertas y decisivas salvedades. La hostilidad de las religiones

* Agehananda Bharati: *The Tantric Tradition.* Londres, 1965.

oficiales indias contra los cultos prevédicos fue mucho menor que la opuesta por el cristianismo a la hechicería; asimismo, la persistencia y la influencia de la corriente subterránea fue y es mucho mayor en la India que en Europa. Entre nosotros, la hechicería y las otras supervivencias del paganismo fueron suprimidas o, muy atenuadas y desfiguradas, se fundieron en el *corpus* del catolicismo; en la India la antigua corriente no sólo irrigó secretamente a las religiones oficiales sino que, dentro de ellas, logró constituirse como una esfera propia hasta afirmarse, en el tantrismo, como una vía legítima, aunque excéntrica, para alcanzar la liberación de las transmigraciones y un estado de gozo e iluminación. Las actitudes de las ortodoxias indias y cristianas frente a sus respectivos paganismos *(cuerpos)* son ejemplos mayores y extremos de conjunción y disyunción...

Parece inútil extenderse más sobre el tema de las semejanzas entre el budismo tántrico y el hindú. En cambio, vale la pena destacar una observación de Agehananda Bharati: mientras la rama hindú le debe a la budista gran parte de su sistema conceptual y de su vocabulario filosófico, ésta le debe a la hindú muchas de las divinidades de su panteón femenino. Esta circunstancia aconseja, para los fines de estas reflexiones, concentrarse sobre todo en el budismo tántrico como el otro polo del cristianismo protestante. Además, el budismo tántrico y el protestantismo fueron radicales, violentas reacciones frente a sus respectivas tradiciones religiosas; violentas, radicales y en dirección opuesta: contra la negación del signo *cuerpo* en el budismo y contra su afirmación en el catolicismo romano. Por estas razones, y por otras que aparecerán más adelante, en lo que sigue me referiré casi exclusivamente al budismo tántrico. Pero habrá un momento en que tendré que ocuparme, incluso a riesgo de complicar demasiado la exposición, de las reveladoras oposiciones entre la actitud hindú y la budista.

Empezaré por las relaciones del budismo tántrico y el protestantismo con las tradiciones religiosas que, a un tiempo, heredan y transforman: budismo mahayana y catolicismo romano. La tradición budista (se entiende que simplifico) es a su vez el resultado de otras dos: la yógica y la de los Upaniṣads. La primera es corporal y mágica, la segunda especulativa y metafísica. La tradición yógica es probablemente más antigua y corresponde a la herencia aborigen prearia; la otra es aria y está directamente ligada a la corriente bramínica, de la que es expresión y crítica. El budismo se presenta, al iniciarse, como una crítica del bramanismo pero es una crítica que se enlaza fatal, espontáneamente, así sea para negarla, con la tradición de los Upaniṣads, que a su vez es una tradición crítica y especulativa. En el seno del budismo la tendencia razonante y la yógica, las prácticas de meditación silenciosa y las disputas filosóficas, sostienen un diálogo continuo: al ascetismo yógico hinayana se oponen las vertiginosas construcciones (mejor dicho: destrucciones) mahayana; a la estricta crítica filosófica hinayana, el vuelo pasional (yógico) de los Bodisatvas mahayana. Dialéctica de la conjunción: el budismo tiende a asimilar y absorber al contrario más que a aniquilarlo. Llevada por la lógica de sus principios o arrastrada por la afición del espíritu indio a suprimir los contrarios sin aniquilarlos, la tendencia mahayana afirmó la identidad última entre el mundo fenomenal y la vacuidad, entre *saṃsāra* y *nirvāṇa*. Esta sorprendente afirmación metafísica tenía que provocar una resurrección de la corriente corporal, yógica, pero ahora como un ascetismo de signo inverso: un erotismo. Así pues, el tantrismo no se desvía del budismo ni es, como se ha dicho, una intrusión extraña, mágica y erótica, destructora de la tradición crítica y especulativa. Al contrario, fiel al budismo, es una nueva y más exagerada tentativa por reabsorber el elemento yógico, corporal y aborigen, en la gran negación crítica y metafísica del budismo mahayana. (O en la gran afirmación de la no-dualidad vedantina, en el caso del tantrismo hindú.) En la suma, el tantrismo se propone la fusión extrema de las dos tradiciones por reabsorción del elemento más antiguo, mágico y corpóreo. Ante el catolicismo, la actitud protestante es exactamente la opuesta. El catolicismo es también el resultado de dos tradiciones: el monoteísmo judaico y la herencia grecorromana. La segunda contiene un elemento especulativo, corporal y orgiástico, en tanto que el judaísmo no es metafísico sino moral y adora a un dios anicónico cuyo nombre mismo no se puede pronunciar. El protestantismo niega o atenúa, en sus versiones menos extremas, la herencia grecorromana y exalta una imagen ideal del cristianismo primitivo que está muy cerca del severo monoteísmo judío. O sea: separación de las dos tradiciones y preferencia por la tendencia anticorpórea y antimetafísica. Dentro de la tradición religiosa de la India, el budismo es una suerte de Reforma y su crítica al bramanismo culmina en una separación análoga a la del protestantismo de la iglesia romana; no obstante, la historia del budismo indio es una serie de compromisos, no tanto con la ortodoxia hindú como con las creencias hindúes; el último y más total de esos compromisos es el tantrismo. El protestantismo, en cambio, fue y es una separación que nada ni nadie ha podido resoldar. Desequilibrio por conjunción y desequilibrio por disyunción.

Las actitudes ante los alimentos son reveladoras. La regla general del protestantismo es la sobriedad y, en seguida, la simplicidad y el valor nutritivo de la comida. Nada de ayunos excesivos ni de orgías gastronómicas: una cocina insípida y utilitaria. El banquete tántrico es, ante todo, un exceso y su utilidad, si merece este calificativo, es ultramundana. Dos normas de la comida occidental: la distribución de los alimentos en platos distintos y los modales reservados en la mesa. Ante el altar y en el momento de la comunión, la reserva se transforma en recogimiento y veneración silenciosa. En la India se mezclan todos los guisos en un plato, ya sea por ascetismo o por hedonismo —los dos polos de la sensibilidad hindú. Por la misma razón y, además, porque no se usan cubiertos, la relación con los alimentos es más directa y física: se come con las manos y a veces el plato es una hoja de árbol. El tan-

trismo exagera esta actitud y en el festín ritual se
come con voluntaria brutalidad. Así se subraya el
carácter religioso del acto: regreso al caos original,
absorción del mundo animal. En un caso, comida
simple y, en el otro, exceso de condimentos; utilidad
nutritiva, valor sacramental; sobriedad, exceso; distancia y reserva frente a los alimentos, cercanía y
voracidad; separación de viandas, confusión de materias lícitas e ilícitas.

La determinación de lo que es lícito e ilícito en
la comida expresa con gran violencia y claridad la
dicotomía entre separación protestante y fusión tántrica. El sacramento protestante es casi inmaterial
y así, a diferencia del rito católico, acentúa la división entre el cuerpo y el espíritu. El banquete
tántrico es una violación ritual de las prohibiciones dietéticas y morales del hinduísmo y el budismo. No sólo se come carne y se bebe alcohol sino
que se ingieren materias inmundas. El *Tantra Hevajra* es explícito: "with the body naked and adorned
with the bones accoutrements, one should eat the
sacrament in its foul and impure form". El sacramento está compuesto por minúsculas porciones de
carne de hombre, vaca, elefante, caballo y perro, que
el devoto debe mezclar, amasar, purificar, quemar y
comer al mismo tiempo que ingiere las "cinco ambrosías". Ni el texto ni los comentarios son claros
acerca de lo que sean realmente esas ambrosías: si
la orina, el excremento, el semen y otras substancias
corporales o los cinco productos de la vaca o, en fin,
los nombres alegóricos de los cinco sentidos.* Cualquiera que sea la interpretación de este y otros pasajes la verdad es que los textos de los Tantras, sean
budistas o hindúes, no dejan lugar a dudas sobre la
necesidad de comer alimentos impuros en el momento de la consagración. Cierto, casi todos los
comentaristas insisten en el caracter simbólico de
los ingredientes, sobre todo si se trata, como en el
caso de los que menciona el *Tantra Hevajra*, de sus-

* Véase *The Hevajra Tantra*, Londres, 1951, traducción y
estudio crítico de D. L. Snellgrove.

tancias excrementicias y de carne humana. Los comentaristas subrayan que los textos usan un lenguaje alegórico: los nombres de sustancias y cosas inmundas designan, en realidad, objetos rituales y conceptos espirituales. La explicación apenas si es válida: en muchos casos la relación alegórica es precisamente la contraria, quiero decir, los nombres de conceptos y objetos rituales designan, en el lenguaje cifrado de los textos, sustancias materiales y órganos y funciones sexuales. Ejemplos: *bala* (poder mental) → *māṃsa* (carne); *kakhola* (planta aromática) → *padma* (loto, vulva); *sūrya* (sol) → *rajas* (menstruo); *bodhicitta* (pensamiento de la iluminación) → *śukra* (semen). La lista podría prolongarse.* No quiero decir, naturalmente, que el lenguaje alegórico de los Tantras consiste únicamente en atribuir significados sexuales a las palabras que designan conceptos espirituales. El lenguaje tántrico es un lenguaje poético y de ahí que sus significados sean siempre plurales. Además, tiene la propiedad de emitir significados que son, diría, reversibles. La reversibilidad implica que cada palabra o cosa puede convertirse en su contrario y después, o simultáneamente, volver a ser ella misma. El supuesto básico del tantrismo es la abolición de los contrarios —sin suprimirlos; ese postulado lo lleva a otro: la movilidad de los significados, el continuo vaivén de los signos y sus sentidos. La carne es efectivamente concentración mental; la vulva es un loto que es la vacuidad que es la sabiduría; el semen y la iluminación son uno y lo mismo; la cópula es, como subraya Mircia Eliade, *samarasa,* "identité de jouissance": fusión del sujeto y el objeto, regreso al uno.

No es imposible que muchas veces el rito se haya realizado literalmente. De nada vale, por lo demás, tratar de ocultar el carácter no sólo repulsivo sino en ocasiones francamente criminal de los rituales tántricos. Por una parte, en virtud de la reversibilidad a que he aludido, es ocioso discutir si estamos ante

---

* Cf. *The Hevajra Tantra* y el citado libro de A. Bharati, *The Tantric Tradition,* especialmente el capítulo dedicado al "lenguaje internacional" *(Sandhabhasa).*

símbolos o realidades: los símbolos son vividos como realidades y la realidad posee una dimensión simbólica, es una metáfora de lo absoluto; por la otra, si el rito tiene por objeto alcanzar un estado de no-dualidad, sea por fusión con el ser o por disolución en la vacuidad universal, es natural que se intente por todos los medios la supresión radical de las diferencias entre lo permitido y lo prohibido, lo agradable y lo inmundo, lo bueno y lo maldito. La comida tántrica es una trasgresión. A diferencia de las trasgresiones de Occidente, que son agresiones tendientes a aniquilar o herir al contrario, la del tantrismo se propone reintegrar —de nuevo: *reincorporar*— a todas las sustancias, sin excluir a las inmundas, como el excremento, y a las prohibidas como la carne humana.

Los Tantras hindúes se refieren a la consumación de las cinco Emes, es decir, las cinco sustancias prohibidas por la ortodoxia bramínica y que comienzan con la letra M: *mada* (vino), *matsya* (pescado), *māmṣa* (carne), *mudrā* (¿habichuelas?) y *maithuna* (copulación). Los dos últimos "ingredientes" son extraños. Bharati identifica *mudrā* como habichuelas y supone que los devotos atribuyen a ese inocuo alimento un poder afrodisiaco. En el rito budista *mudrā* es la pareja femenina. Probablemente tuvo la misma significación en el rito hindú. Otra posibilidad: tal vez *mudrā* designó a una droga o a una porción de carne humana. Justifica esta última hipótesis el *Tantra Hevajra* que menciona con toda claridad y varias veces a la carne humana como alimento sagrado. En cuanto a la droga: Bharati dice que durante el rito se bebe una copa de *vijayā*, que no es otra cosa que el nombre tántrico del *bhāṅg*, una poción hecha de *Cannabis Indica* molido y disuelto en leche y jugo de almendras, muy popular en el norte de la India, sobre todo entre los religiosos mendicantes. Tampoco es clara la razón de incluir entre las cinco Emes a la copulación: no es un ingrediente ni un alimento. Además y sobre todo: constituye, por sí misma, la parte central del rito. Estas incongruencias revelan que la tradición tántrica hindú atraviesa por un periodo de confusión y desintegración... No es necesario extenderse más: la extrema inmaterialidad del sacramento protestante subraya la separación entre el espíritu y la materia, el hombre y el mundo, el alma y el cuerpo; el festín tántrico es una deliberada trasgresión, una *ruptura* de las reglas que tiene por objeto provocar la *reunión* de todos los elementos y sustancias. Abatir las murallas, desbordar los linderos, suprimir las diferencias entre lo horrible y lo divino, lo animal y lo humano, la carne muerta y los cuerpos vivos: *samarasa,* sabor idéntico de todas las sustancias.

La misma oposición se manifiesta en la esfera propiamente ceremonial de los ritos. La comunión protestante es individual y, como ya dije, apenas si se ha conservado el carácter material, corpóreo, del sacramento. El rito protestante tiende a conmemorar la palabra de Cristo, no es una re-producción de su sacrificio como en la Misa católica. En la ceremonia tántrica se mezclan todas las castas, desaparecen los tabús de contagio corporal y el sacramento es comunal y claramente material, sustancial. Comida inmaterial y comunión individual; comida extremadamente material y comunión colectiva. Separación: exageración de la pureza; mezcla: exaltación de la impureza. El sistema de castas consiste en una distinción estricta y jerárquica de los grupos sociales fundada en las nociones religiosas de lo puro e impuro. A mejor casta, más severas interdicciones alimenticias y sexuales, mayor separación del mundo natural y de los otros grupos humanos; en cambio, en las castas inferiores son más laxas las prohibiciones rituales y menores los riesgos de contaminación por contacto con lo profano, lo bestial o lo inmundo. Pureza es separación, impureza es unión. La ceremonia tántrica subvierte el orden social pero no con propósitos revolucionarios sino rituales: afirma con mayor énfasis aun que las religiones oficiales la inmutable primacía de lo sagrado sobre lo profano. El protestantismo también fue una subversión del orden social y religioso sólo que no trastornó las antiguas jerarquías para regresar a la mezcolanza primordial, sino, al contrario, para afirmar la libertad y la responsabilidad del individuo. O sea: separó, distinguió, trazó límites destinados a preservar la conciencia personal y la vida privada. En un caso, comunitarismo; en el otro, individualismo. Reforma religiosa, el protestantismo se transformó en una revolución social y política. Trasgresión del orden religioso, el tantrismo no abandonó nunca la esfera de los símbolos y los ritos: no fue (ni es) una rebelión sino una ceremonia. La trasgresión social del tantrismo completa a la trasgresión alimenticia y con los mismos fines: la conjunción de los signos *cuerpo* y *no-cuerpo*. A la disolución de los sabores y las sustancias en un sabor único e indistinto corresponde la disolución de las castas y las jerarquías en el círculo de los adeptos, imagen de la indistinción original.

Las primeras noticias modernas sobre el tantrismo aparecen en unos cuantos relatos y memorias de algunos viajeros y residentes europeos. Casi todos esos testimonios son de fines del siglo xviii y principios del xix. Alusiones veladas y, claro está, indignadas; otras veces el tono es más franco y, al mismo tiempo, más hostil: invectivas exaltadas en las que la execración se mezcla al horror —y ambos a la no confesada fascinación. Esta circunstancia y, además, el hecho de que los autores de estos testimonios fueron misioneros o funcionarios del *British Raj*, han movido a la opinión moderna a desecharlos como si se tratase de embustes y fabricaciones calumniosas. No hay razón para descartarlos totalmente. Por más parciales que sean, contienen una buena dosis de verdad. La prueba es que coinciden muchas veces con los textos. Pienso en el asesinato ritual que mencionan algunos de estos relatos. Aunque lo callan de un modo sistemático la mayoría de los comentaristas modernos (europeos e indios), aparece con todas sus letras en el *Tantra Hevajra* y, según entiendo, en algunos otros. Los intérpretes modernos, siguiendo a varios comentaristas tradicionales, tratan de explicar la presencia de un cadáver en el rito —sea el de un hombre asesinado o el de un muerto sustraído del lugar de cremación— como otro ejemplo de simbolismo, semejante al de los alimentos impuros y excrementicios. El tantrismo conoce, por supuesto, la distinción entre significado simbólico o alegórico y significado material. La distinción adopta, según tenía que ser en un sistema como éste, la forma de una división ritual: los adeptos de la "mano derecha" siguen la interpretación alegórica en tanto que los de la "mano izquierda" aplican literalmente el texto. Ahora bien, el tantrismo de la "mano izquierda" no sólo es el más radical sino que es, por decirlo así, el más tántrico: ya he dicho que en este sistema religioso lo decisivo no es la doctrina sino la práctica *(sādhanā)*. Dicho esto, agrego que la diferencia entre los ritos de la "mano derecha" y los de la "izquierda" es grande pero no insalvable. Todo es real en el tantrismo —y todo es simbólico. La realidad fenomenal es más que el símbolo de la otra realidad: tocamos símbolos cuando creemos tocar cuerpos y objetos materiales. Y a la inversa: por la misma ley de reversibilidad, todos los símbolos son reales y tangibles, los conceptos son cuerpos y la misma nada tiene un sabor. Es lo mismo que el crimen sea real o figurado: realidad y símbolo se funden y, al fundirse, se desvanecen.

A diferencia de los sacrificios humanos de los aztecas y otros pueblos, el asesinato tántrico, real o mentido, no es tanto un sacrificio como una trasgresión ritual. Me explico: el sacrificio, adopte la forma de la ofrenda o la propiciación, es una parte del rito pero no la central. Lo esencial no es el sacrificio de una víctima; lo que cuenta es el asesinato: el crimen, la trasgresión, el romper los límites entre lo permitido y lo prohibido. La significación del acto es exactamente la contraria a la usual y predominante en otras religiones. Opera aquí la misma dialéctica de ruptura y reunión que rige la ingestión de alimentos impuros y la confusión de castas en el círculo de los oficiantes. El protestantismo no conoce nada semejante. Su dialéctica no es la de la trasgresión —ruptura que provoca el desbordamiento y, por tanto, la conjunción de los contrarios— sino la de la justicia.

No la inmolación de una víctima: el castigo del culpable. La justicia restablece los límites que el crimen ha violado. Distribución, repartición de premios y penas: un mundo en el que cada uno está en el sitio que le corresponde. La noción de sacrificio alude también a realidades y conceptos distintos. En el protestantismo, el sacrificio es incruento, moral; en seguida, el modelo del sacrificio cristiano es el de Dios, víctima voluntaria: no hay otro sacrificio que el de nosotros mismos. En el rito tántrico el oficiante es el sacrificador; en la ceremonia cristiana, el devoto, a imitación de Cristo, se ofrece a sí mismo en sacrificio. Su sacrificio es simbólico, es una representación del holocausto divino. Por último, en el cristianismo protestante el sacrificio es sobre todo una interiorización de la pasión de Cristo o su exteriorización simbólica pero no en el rito sino en la vida diaria: el trabajo y la conducta social. De una y otra manera el sacrificio cesa de ser corporal. En el tantrismo, confusión entre el símbolo y la realidad: el sacrificio puede ser real o figurado; en el cristianismo protestante, neta delimitación entre la sangre real y la simbólica. Predominio de los valores mágicos, físicos; supremacía de la moral.

Otra oposición: las distintas actitudes ante la muerte o, para ser exacto, ante los muertos. Aunque entre los cristianos es constante el pensamiento y la presencia de la muerte, el protestantismo pronto borró o atenuó sus representaciones corporales. La muerte se volvió idea, pensamiento que desvela y roe la conciencia: perdió cuerpo y figura. Desaparecieron todas esas imágenes, a un tiempo suntuosas y terribles, que obsesionaron a los artistas medievales y a los de la edad barroca en los países católicos. La actitud ante el cadáver, ya que no ante la muerte, fue semejante a la adoptada frente al oro y al excremento: la ocultación y la sublimación. Evaporación del muerto y conversión de la muerte en noción moral. No sé si la idea de la metempsicosis ayude a los indios a soportar la realidad de la muerte. Morir es difícil en todos los tiempos y en todas las civilizaciones. Temo que la función de esta creencia sea análoga a la de las nuestras: un artificio que nos defiende del horror que sentimos ante la fragilidad y desdicha de la existencia, una proyección de nuestro miedo ante la extinción definitiva. El Buda mismo condenó a los nihilistas que postulaban la aniquilación universal y absoluta. Sea como sea, la actitud de los indios ante los muertos es más natural que la de los cristianos protestantes pero no se complacen como nosotros, los españoles e hispanoamericanos, en sus representaciones físicas, carnales —excepto en el tantrismo. La afición de los mexicanos por los esqueletos y calaveras no tiene rival en ninguna parte del mundo, salvo en el arte budista de Tibet y Nepal. Una diferencia: nuestros esqueletos son una sátira de la vida y los vivos; los de ellos son terribles y licenciosos. Y hay más: ninguna imagen del catolicismo español e hispanoamericano, ninguna alegoría de Valdés Leal y ninguna calavera de Posada, poseen la significación alucinante, a fuerza de ser real, de ese cadáver que, según ciertos informantes, es el centro en torno al cual, en algunas ceremonias secretas, gira el rito entero. La definición de Philip Rawson es sobria y, en su concisión, suficiente: "Sexual meditation among the corpses".* Exactamente lo opuesto de la meditación cristiana sobre la muerte y los muertos.

El escándalo de los primeros viajeros europeos ante las prácticas tántricas es, hasta cierto punto, comprensible: la violencia de su censura corresponde a la violencia de la trasgresión. Las diatribas de los misioneros cristianos, por lo demás, no son más exaltadas que las de los bramines ortodoxos e, inclusive, que las de algunos religiosos tibetanos. Oigamos a Lha lama Yesheö, que escribió en el siglo xi: "Depuis le développement des rites d'union sexuelle, les gens se mêlent sans égard aux liens de parenté. . . Vos practiques, de vous autres, tantristes abbés de village, peuvent paraître merveilleuses à d'autres s'ils en entendent parler dans d'autres royaumes. . . mais vous êtes plus avides de viande que faucons et loups,

* *Erotic Art of the East,* Nueva York, 1968.

plus libidineux qu'ânes et taureaux, plus avides de décomposition que maisons en ruine ou poitrine de cadavre. Vous êtes moins propres que chiens et porcs. Ayant offert excréments, urine, sperme et sang aux dieux purs, vous renaîtrez dans (l'enfer du) marais de cadavres putréfiés. Quelle pitié!"* Esta imprecación expresa el horror de la conciencia moral ante el tantrismo. La moral —cualquiera que sea: budista, cristiana, atea— es dualista: aquí y allá, lo bueno y lo malo, la izquierda y la derecha. Pero el tantrismo, apenas si vale la pena decirlo, no es inmoral: pretende trascender todos los dualismos y de ahí que no le convenga siquiera el adjetivo *amoral*. La actitud tántrica, precisamente por ser extremadamente religiosa, no es moral. En la esfera de lo numinoso no hay ni aquí ni allá, ni esto ni aquello —ni puntos cardinales ni preceptos morales. El tantrismo es una tentativa sobrehumana por ir realmente más allá del bien y del mal. En esta desmesura podría recordar a Nietzsche. Pero el "nihilismo" de Nietzsche es filosófico y poético, no religioso. Además, es solitario: la carcajada y la danza del superhombre sobre el abismo del eterno retorno. El centro, el corazón del tantrismo, es algo que Nietzsche rechaza: el rito. Y no obstante, el rito es el eterno retorno, no hay regreso de los tiempos sin rito, sin encarnación y manifestación de la fecha sagrada. Sin rito no hay regreso. Contradicción de Nietzsche: el superhombre, el "nihilista acabado", es un dios sin religión (rito) y sin retorno; la del tantrismo: un rito que jamás desemboca en la historia, que sólo es retorno, repetición. De nuevo: lo que en Occidente es acto e historia, en la India es rito y símbolo. A la idea de "transformar el mundo", la India responde (respondió) con otra no menos impresionante: disiparlo, volverlo metáfora.

Bharati subraya una y otra vez el carácter experimental del tantrismo. La observación es exacta si se limita a la esfera estrictamente religiosa. No hay

---

* Citado por R. A. Stein, en *La civilisation tibétanne*, París, 1962.

otra, por lo demás, para el tantrismo. Por mi parte, señalo la tendencia a interpretar y realizar literalmente los símbolos. Literalidad ingenua y terrible, inocente y feroz, exacta como una operación aritmética y alucinante como un viaje en sueños. El tantrismo es un sistema de encarnación de las imágenes y en esto reside la seducción y la repulsión que, alternativamente, ejerce sobre nosotros. El abate Dubois, que fue uno de los primeros en ocuparse de las costumbres y usos de la India, cuenta que en el "infame festín" tántrico los alimentos se colocaban sobre una muchacha desnuda, tendida cara el cielo. Muchos amigos y defensores de la civilización india han llamado embustero y delirante al abate. No sé qué me indigna más: si la furia de Dubois o la hipocresía de los otros ante su relato. Nada, excepto la pudibundez que llamó a Konarak y a sus esculturas eróticas "the black pagoda", nos permite dudar de la veracidad del abate. Por otra parte, la celebración de un festín en que una muchacha desnuda oficia, ésa es la palabra, como donadora del sacramento, no debería provocar la censura sino la alabanza. Es la encarnación de una imagen que aparece en la poesía de todos los tiempos: el cuerpo de la mujer como altar, mesa viva cubierta de frutos vivos, adorables y terribles. Novalis dijo que la mujer es el alimento corporal más elevado: ¿no es eso lo que también dice, sólo que carnal y literalmente, el rito tántrico? Sed y hambre de comida sagrada, festín de nuestra mortalidad, eucaristía. Durante la Exposición Surrealista dedicada al erotismo, hace unos años, hubo una ceremonia parecida: un festín en el que la mesa era una muchacha desnuda. Los surrealistas ignoraban el antecedente indio. Las imágenes encarnan.

Como todo el cristianismo, sólo que más acusadamente, el protestantismo carece de ritos realmente eróticos. El tantrismo es ante todo un rito sexual. La ceremonia del matrimonio cristiano es pública pero la copulación entre los esposos es privada. La ceremonia tántrica consiste en la copulación en público, ya sea de varias parejas o de una sola ante el círculo de devotos. Además, no se practica con la esposa sino con una yogina, en general de baja casta. Entre los cristianos el acto se realiza en la alcoba, es decir, en un sitio profano; los Tantras prescriben formalmente que debe ser en un templo o en un lugar consagrado, de preferencia en los sitios de cremación de los muertos. Copulación sobre las cenizas: anulación de la oposición entre vida y muerte, disolución de ambas en la vacuidad. La absorción de la muerte por la vida es el reverso del cristianismo; el desvanecimiento de los dos en un tercer término, *śūnyatā*, es el reverso del paganismo mediterráneo. Es imposible no admirar esta dialéctica que, sin negar la realidad de la vida y la no menos real evidencia de la muerte, las reconcilia al disiparlas. Y las reconcilia en la cima del acto carnal, ese momento relampagueante que es la afirmación más intensa del tiempo y, asimismo, su negación. La cópula es verdadera, realmente, la unión de *saṃsāra* y *nirvāṇa*, la perfecta identidad entre la existencia y la vacuidad, el pensamiento y el no-pensamiento. *Maithuna:* dos en uno, el loto y el rayo, la vulva y el falo, las vocales y las consonantes, el costado derecho del cuerpo y el izquierdo, el allá arriba y el aquí abajo.

La unión de los cuerpos y de los principios opuestos es asimismo la realización del arquetipo hermafrodita. La reintegración en la vacuidad equivale, en el nivel psicológico individual, a la unión de la parte masculina y femenina en cada uno de nosotros. Al identificarnos con la vacuidad, también nos realizamos carnal y psicológicamente: recobramos nuestra porción femenina o, en el caso de la mujer, masculina. Una paradoja que no lo es tanto: el tantrismo parte de la idea, hoy aceptada por biólogos y psicólogos, de que en cada hombre hay algo de mujer y a la inversa. En lugar de reprimir y separar lo femenino en el hombre y lo masculino en la mujer, busca la reconciliación de los dos elementos. No sé si se haya observado que las imágenes de los dioses indios, sin cesar por un instante de ser viriles, emanan cierta languidez y suavidad casi femeninas. Lo mismo sucede con sus diosas: los senos plenos, las caderas anchas, la cintura delgada y, no obstante, todas ellas irradian gravedad, aplomo y determinación de varones. El contraste con el Occidente cristiano es tajante. Resultados de nuestra represión de la feminidad en el hombre y de la masculinidad en la mujer: en un extremo, los océanos de curvas y las montañas de músculos de Rubens; en el otro, los triángulos y rectángulos del siglo xx.

El amor físico es profano y aún pecaminoso entre los cristianos; el tantrismo ignora lo que llamamos amor y su erotismo es sacramental. El protestantismo acentúa la división entre lo sagrado y lo profano, lo lícito y lo ilícito, lo masculino y lo femenino; el tantrismo se propone la absorción de lo profano por lo sagrado, la anulación de la diferencia entre lo lícito y lo ilícito, la fusión de lo masculino y lo femenino. La oposición más extrema se manifiesta en las funciones de ingestión y deyección. Como es sabido, la norma central del rito sexual tántrico consiste en la contención del esperma, no por razones de orden moral y menos aún por higiene, sino porque todo el acto está dirigido a la trasmutación del semen y a su fusión con la vacuidad. Así, en el tantrismo, a la ingestión real o simbólica de excremento corresponde la retención del semen; en el protestantismo, a la retención real o simbólica de excremento corresponde la eyaculación rápida. La retención seminal implica una erotización de todo el cuerpo, un regreso a los juegos y placeres infantiles que el psicoanálisis llama poliformes, pregenitales y perversos.* La eyaculación rápida es el triunfo del erotismo genital, destructor y autodestructivo: frigidez en la mujer y placer frustrado en el hombre. La eyaculación está ligada indisolublemente a la muerte; la retención seminal es una regresión a un estado anterior de la sexualidad. Triunfo de la muerte o regreso a la sexualidad indiferenciada de la infancia: en ambos

---

* El adjetivo "perverso" es un eco curioso de la ética judeocristiana en el pensamiento de Freud.

*...la vitalidad, a veces demoniaca,
                        de la escultura románica [p. 59]*

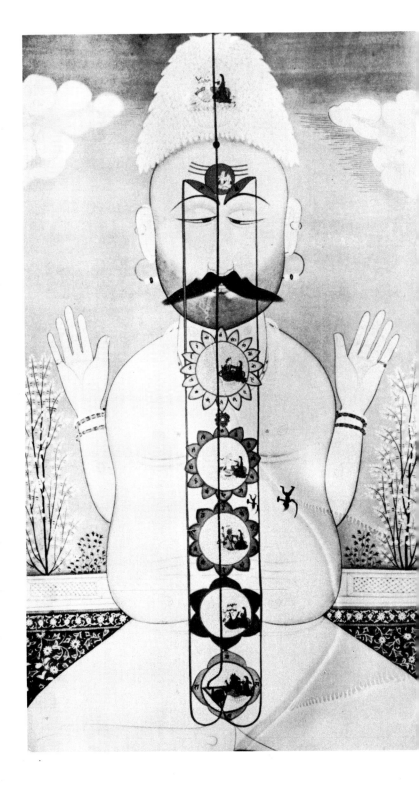

casos, egoísmo, miedo o desprecio del otro —o la otra. La disyunción y la conjunción hieren en su centro al principio de placer, a la vida.

El protestantismo exagera el horror cristiano ante el cuerpo. Origen y causa de nuestra perdición, lo decente es no mencionarlo, excepto si se trata de la descripción objetiva y neutra de la ciencia. Para el tantrismo el cuerpo es el doble real del universo que, a su vez, es una manifestación del cuerpo diamantino e incorruptible del Buda. Por eso postula una anatomía y una fisiología simbólicas que sería largo y fastidioso exponer aquí. Diré únicamente que concibe al cuerpo como un microcosmos con seis nudos de energía sexual, nerviosa y psíquica; estos centros *(cakras)* se comunican entre sí, desde los órganos genitales hasta el cerebro, por dos canales: *rasanā* y *lalanā*. No se olvide que se trata de una anatomía simbólica: el cuerpo humano concebido como *mandala* que sirve de "apoyo" a la meditación y como *altar* en el que se consuma un sacrificio. Las dos venas nacen en el plexo sacro, lugar del *liṅga* (pene) y del *yoni* (vulva). La primera asciende por el lado derecho y polariza el aspecto masculino; la segunda sube por el costado izquierdo y simboliza el aspecto femenino. *Rasanā* se identifica con la (com) Pasión *(karuṇa)* y con el método *(upāya)*; *lalanā* con la vacuidad *(śūnyatā)* y la sabiduría *(prajñā)*. La cadena de las correspondencias se ramifica hasta configurar una verdadera constelación semántica: *rasanā* (lengua) → *prāṇa* (aliento vital) → *vyañjana* (la serie de las consonantes) → el río Yamuna; *lalanā* (mujer disoluta) → *candra* (luna) → *apāna* (exhalación) → *svara* (la serie de las vocales) → la madre (el río) Ganges. No faltan las equivalencias brutalmente materiales ni las bruscas cópulas de conceptos espirituales y realidades sexuales: *mahamāṃsa* (carne humana) → *alija* (las vocales místicas); *vajra* (rayo) → *liṅga* (pene) → *upāya*. Así, dos nociones más bien conceptuales del budismo mahayana, la compasión del Bodisatva y la acción del pensamiento durante la meditación *(upāya)*, adquieren un predominante simbolismo erótico y se convierten en homólogos de falo y esperma; igualmente *śūnyatā* (vacuidad) y *prajñā* (sabiduría) evocan los órganos sexuales femeninos.

Durante el coito se intenta fundir el elemento femenino con el masculino, o sea: trascender la dualidad. El acto sexual es un homólogo de la meditación y ambos de la realidad, escindida en el esto y el aquello pero que, en sí misma, sólo es transparencia vacía. Entre las dos venas, *lalanā* y *rasanā*, corre una tercera: *avadhūtī*. Lugar de unión e intersección, es el homólogo de la yogina, la mujer asceta-libertina que "no es ya ni sujeto ni objeto". La unión de las dos corrientes de energía en la vena central es la realización, la consumación. Un comentario a los poemas de Sahāra y Kānha dice: "en el momento del gran deleite, nace el pensamiento de la iluminación, esto es, se produce el semen". El gran deleite *(mahāsukha)* es asimismo *sahaja:* el estado natural, la vuelta a lo innato. A la unión horizontal, por decirlo así, entre la sustancia femenina y la masculina, corresponde otra vertical: la unión del semen *(śukra)* con el pensamiento de la iluminación *(bodhiccita)*. La transmutación se logra, otra vez, por la unión con el principio femenino, en un momento que es el ápice o conjugación de todas las energías. La gota seminal *(bindu)* así transustanciada, en lugar de derramarse, asciende por la espina dorsal hasta que estalla en una explosión silenciosa: es el loto que se abre en lo alto del cráneo. "La Reflexión es Consumación": el *bindu* es *bodhiccita*, pensamiento en blanco, vacuidad. La retención seminal es una operación alquímica y mística: no se trata de preservar la relación entre el cuerpo y el alma sino de disolver al primero en la vacuidad. La disyunción represiva en el protestantismo y la conjunción explosiva en el tantrismo terminan por coincidir.

A la fisiología mágica que he descrito sumariamente se yuxtapone una geografía religiosa: "Aquí, en el cuerpo, están los sagrados ríos Jamuna y Ganges, aquí están Pragaya y Benares, el Sol y la Luna. En mis peregrinaciones he visitado muchos santuarios pero ninguno más santo que el de mi cuerpo." (Poema de Sahāra.) Si el cuerpo es tierra, y tierra santa, también es lenguaje —y lenguaje simbólico: en cada fonema y cada sílaba late una semilla *(bīja)* que, al actualizarse en sonido, emite una vibración sagrada y un sentido oculto. *Rasanā* representa a las consonantes y *lalanā* a las vocales. Las dos venas o canales del cuerpo son ahora el lado masculino y femenino del habla... El lenguaje ocupa un lugar central en el tantrismo, sistema de metáforas encarnadas. A lo largo de estas páginas he aludido al juego de ecos, correspondencias y equivalencias del lenguaje cifrado de los Tantras *(sandhāb-hāṣā)*. Los antiguos comentaristas designaban a este hermetismo erótico-metafísico como "lenguaje crepuscular"; los modernos, siguiendo a Mircia Eliade, lo llaman "lenguaje intencional".* Pero los especialistas no dicen, o lo dicen como quien camina sobre ascuas, que ese lenguaje es esencialmente poético y que obedece a las mismas leyes de la creación poética.

Las metáforas tántricas no sólo están destinadas a ocultar al intruso el verdadero significado de los ritos sino que son manifestaciones verbales de la analogía universal en que se funda la poesía. Estos textos están regidos por la misma necesidad psicológica y artística que llevó a nuestros poetas barrocos a construirse un idioma dentro del idioma español, la misma que inspira al lenguaje de Joyce y al de los surrealistas: la concepción de la escritura como el doble del cosmos. Si el cuerpo es un cosmos para Sahāra, su poema es un cuerpo —y ese cuerpo verbal es *śūnyatā*. El ejemplo más próximo e impresionante es el del *trobar clus* de los poetas provenzales. El hermetismo de la poesía provenzal es un *velo* verbal: opacidad para el zafio y transparencia que deja ver la desnudez de la dama al que sabe contemplar. Hay que estar en el secreto. Digo: *estar* y no *saber* el secreto. Hay que participar: tejer el velo es un acto

* Mircia Eliade: *Le Yoga, Inmortalité et Liberté*, París, 1954.

de amor y destejerlo es otro. Lo mismo sucede con el lenguaje hermético de los Tantra: para descifrarlo realmente no basta conocer la clave —aunque eso también cuente— sino penetrar en el bosque de símbolos, ser símbolo entre los símbolos. La poesía y el tantrismo se parecen en ser prácticas, experiencias concretas.

El lenguaje del cristianismo protestante es crítico y ejemplar, guía de la meditación y de la acción; el lenguaje de los Tantras es un microcosmos, el doble verbal del universo y del cuerpo. En el protestantismo el lenguaje obedece a las leyes de la economía racional y moral, a la justicia distributiva; en el tantrismo el principio cardinal es el de la riqueza que se gasta: ofrenda, don, sacrificio o, incluso, lujo, bienes destinados a la consumación o a la disipación. La "productividad" del lenguaje tántrico pertenece al orden, diría, de la magia imitativa: su modelo es la naturaleza — no el trabajo. Separación entre el lenguaje y la realidad: las escrituras santas concebidas como un conjunto de preceptos morales; unión del lenguaje con la realidad: la escritura *vivida* como el cuerpo analógico del cuerpo físico —y el cuerpo *leído* como escritura.

Al lado del "lenguaje intencional": las fórmulas mágicas compuestas por esas sílabas que ya he mencionado antes, al hablar de *rasanā* y *lalanā,* como los rubros simbólicos de las consonantes y las vocales. Estas sílabas no llegan a constituir palabras y Bharati, un poco artificiosamente, las llama "morfemas o casi morfemas". Las sílabas *(bījas)* se unen entre sí y forman unidades sonoras: *mantras.* Ni *bījas* ni *mantras* tienen significación conceptual; no obstante, son extremadamente ricos en sentidos emocionales, mágicos y religiosos. Para Bharati el núcleo del tantrismo, su esencia como rito y como práctica, reside en los *mantras.* Podría añadirse que es el corazón de las religiones indias. Es la otra cara del Yoga, ya que, como éste, no es intelectual, sino práctico y no-discursivo. El *mantra* es un medio, como el Yoga, para obtener estos o aquellos poderes. Al mismo tiempo, la recitación del *mantra,* mental o

sonora, traza un puente entre el recitante y el macrocosmos, a semejanza de los ejercicios respiratorios del yogín. Pero el *mantra* es sobre todo un instrumento ritual, trátese de ritos colectivos o íntimos. Además, hay otro aspecto sobre el que, me parece, no han reparado bastante los especialistas: los *mantras* son signos indicativos, señales sonoras de identificación. Cada divinidad, cada "guru", cada discípulo, cada adepto, cada concepto y cada momento del rito tiene su *mantra*. El poeta Kāṇha lo ha dicho mejor que esta enredada explicación mía: las sílabas *(bījas)* se anudan en el tobillo desnudo de la yogina como ajorcas. Son atributos sonoros.

Ni las plegarias y letanías cristianas ni las abracadabras y otras fórmulas mágicas son el equivalente de los *mantras*. Tal vez la poesía o, mejor dicho, una de sus manifestaciones: aquella que alguna vez Alfonso Reyes llamó "jitanjáfora", la explosión no conceptual de las sílabas, goce, angustia, éxtasis, cólera, deseo. Un lenguaje más allá del lenguaje, como en los poemas de Schwitters, las interjecciones bárbaras de Artaud, las sílabas serpentinas y felinas de Michaux, las vocales extáticas de Huidobro... No, mi comparación omite lo esencial, aquello que distingue a los *mantras* de toda expresión poética occidental: los indios no inventan esos "bijoux sonores" —se trasmiten de "guru" a discípulo. Tampoco son poemas: son amuletos verbales, talismanes lingüísticos, escapularios sonoros... Concluyo: frente a la llaneza verbal del cristianismo protestante, enemigo de toda escritura secreta, el lenguaje simbólico y hermético; frente al vocabulario neutro y abstracto de la moral, las palabras genitales y las cópulas fonéticas y semánticas; frente a las plegarias, los sermones y la economía del lenguaje racional, los *mantras* y sus cascabeles. Un lenguaje que distingue entre el acto y la palabra y, dentro de ésta, entre el significante y el significado; otro que borra la distinción entre la palabra y el acto, reduce el signo a mero significante, multiplica y cambia los significados, concibe al lenguaje como un juego idéntico al del universo en el que el lado derecho y el iz-

quierdo, lo femenino y lo masculino, la plenitud y la vacuidad, son uno y lo mismo —un lenguaje que todo significa y, al fin de cuentas, significa nada.

La palabra *Prajñāparamitā* designa a uno de los conceptos cardinales del budismo mahayana. Es la "suprema sabiduría" de los Bodisatvas y aquel que la ha alcanzado está ya en la "otra orilla", en la otra vertiente de la realidad. Es la vacuidad última y primera. Fin y principio del saber, también es una divinidad en el panteón budista. Las imágenes en piedra, metal y madera de Nuestra Señora Prajñāparamitā son innumerables y algunas, por su hermosura, inolvidables. Confieso que la encarnación en la majestad del cuerpo femenino de un concepto tan abstracto como el de la sabiduría en la vacuidad, no cesa de maravillarme. Imposible no pensar en la Sofía del Cristianismo Ortodoxo. Idea pura e imagen corporal, Prajñāparamitā también es visión y sonido: es "un loto rojo de ocho pétalos" hecho de vocales y consonantes, "que surge de la sílaba Ah. . ." Y hay más: sonido y color, palabra reducida a su vibración luminosa, imagen de piedra en actitud de voluptuosa meditación y concepto metafísico, Prajñāparamitā es al mismo tiempo una mujer real: la yogina del rito. La pareja es una iniciada, casi siempre de casta baja o profesión impura: la *candali* o la *ḍombī* (lavandera). Kānha dice en uno de sus cantos a la vacuidad: "Tú eres la *candali* de la pasión. Oh *ḍombī,* nadie es más disoluta que tú." *Candali* significa aquí el "calor místico" de los tibetanos: la unión del sol y de la luna, el humor de la mujer y el esperma del hombre, el loto de la Perfecta Sabiduría y el rayo de la (com) Pasión, fundidos y disueltos en una llamarada. La realidad fenomenal es idéntica a la realidad esencial: las dos son vacuidad. *Saṃsāra* es *Nirvāṇa.**

* Sobre los poemas de Kānha y Sahāra véase: *Les Chants mystiques de Kānha et Sahāra*, edición y traducción de M. Shabidullah, París, 1921. Cf. también los dos libros de S. B. Dasgupta: *An Introduction to Tantric Buddhism*, Calcuta, 1958, y *Obscure Religious Cults*, Calcuta, 1962. En *Buddhist*

Dentro del sistema tántrico las ramas budista e hindú se oponen, aunque de manera menos acusada, como el hinduísmo y el budismo ortodoxos o tradicionales. La primera gran oposición: mientras en el tantrismo hindú el principio activo es el femenino *(Sakti),* en el budista lo es el masculino (el Buda diamantino, *Vajrasattava* y otras divinidades y símbolos). En las representaciones tibetanas de la cópula ritual *(yab yum)* la divinidad masculina tiene un aspecto terrible y aún feroz en tanto que su pareja *(ḍākiṇī)* es de una frágil, aunque redonda, belleza; en las imágenes hindúes, la representación más enérgica, con frecuencia también terrible y feroz, del principio activo es la *Sakti,* el polo femenino de la realidad. A primera vista, la noción hindú contradice las ideas sobre la mujer que han tenido casi todas las sociedades. No obstante, no carece de lógica: el absoluto (representado por *Siva)* es el sujeto abstraído en el sueño de su infinito solipsismo; la aparición de la *Sakti* es el nacimiento del objeto (la naturaleza, el mundo concreto) que despierta al sujeto de su letargo. La iconografía representa a la *Sakti* danzando sobre el cuerpo dormido de *Siva,* que entreabre los ojos. En el judaísmo no sólo abundan las mujeres viriles y heroicas sino que nuestra madre Eva despierta a Adán de su sueño paradisiaco y lo obliga a enfrentarse con el mundo real: el trabajo, la historia y la muerte. En el relato bíblico también la mujer brota del costado del hombre dormido, como la *Sakti* del sueño de *Siva,* y también despierta a su compañero. Eva y *Sakti* son naturaleza, mundo objetivo. Mi interpretación puede parecer traída por los cabellos. No lo es pero, incluso si lo fuera, no importaría: hay otra razón y más decisiva, según me propongo mostrar en seguida, que explica la aparente singularidad del *śaktismo.*

La razón de atribuir a la *Sakti* valores como la

Texts through the Ages (Londres, 1954), obra colectiva de Conze, Horner, Waley y Snellgrove, pueden leerse el texto de la hermosa evocación de Prajñāparamitā y el poema de Sahāra.)

actividad y la energía, que parecen ser masculinos por excelencia —aunque realmente no lo sean, al menos exclusivamente, como se ha visto— es de orden formal. Pertenece a lo que podría llamarse la ley de simetría o correspondencia entre los símbolos: la posición de un símbolo o de un concepto simbolizado determina la posición del símbolo antitético. En el budismo el principio activo es masculino *(upāya)* pero la consumación del rito —la abolición de la dualidad— posee una marcada tonalidad femenina. Los dos conceptos metafísicos centrales: *śūnyatā* y *prajñāpāramitā,* se conciben como femeninos. Cierto, la abolición de la dualidad implica la desaparición del polo femenino y el masculino, sólo que esa disolución, en el budismo, es de signo femenino. No podía ser de otro modo, dada la posición de los símbolos. Desde el principio el budismo afirmó que el bien supremo *(nirvāṇa)* era idéntico a la cesación del fluir de la existencia y, en su forma más alta, a la vacuidad. También desde el principio, en el budismo mahayana, la vacuidad fue representada por el Cero redondo, imagen de la mujer. Para el hindú la beatitud suprema es la unión con el ser, con el no-dual, el Uno. La coloración es masculina: el Uno erguido es fálico, es el *liṅga* quieto, extático, pleno de sí. El budista concibe al absoluto como objeto y así lo convierte en homólogo del polo femenino de la realidad; el hindú lo piensa como sujeto y lo asocia con el polo masculino. Dos formas sagradas condensan estas imágenes: la estūpa y el liṅga —el Cero y el Uno. Ahora bien, la actividad para alcanzar el Uno (masculino) no puede ser sino femenina *(Sakti).* Puesto que la actividad es de esencia masculina, la *Sakti* deberá expresar no solamente a la femenidad en su forma más plena —senos redondos, cintura estrecha, caderas poderosas— sino que esa feminidad pletórica de sí ha de emitir efluvios, irradiaciones masculinas. La misma razón de simetría simbólica explica la feminidad de los Budas y Bodisatvas: son el principio masculino y activo que ha conquistado y asimilado la pasividad. A *śūnyatā* corresponde *upāya;* a *Siva* corresponde *Sakti.* El juego de correspondencias abarca al sistema entero. Si atribuimos la cifra Cero a la feminidad, sea activa o pasiva, y la cifra Uno a la masculinidad, sea igualmente pasiva o activa, el resultado será el siguiente: en el budismo, 1 (activo) → 0 (pasiva); en el hinduísmo, 0 (activa) → 1 (pasivo). Desde el punto de vista de sus respectivos ideales de beatitud, la oposición entre el tantrismo budista y el hindú es 0 (pasiva)/ 1 (pasivo). Los medios para alcanzar esas metas aparecen con la misma relación de oposición: 1 (activo)/ 0 (activa). La simetría inversa que rige a cada rama se reproduce en las relaciones entre las dos. Es la lógica del sistema y, sin duda, la lógica de todos los sistemas simbólicos.

La otra oposición no es menos radical y afecta a lo que, con la polaridad entre lo femenino y lo masculino, es el núcleo del tantrismo: la actitud ante la eyaculación seminal. A diferencia del budismo tántrico, en el hindú no hay retención del esperma. A pesar de los estudios que se han dedicado al tema desde hace más de veinticinco años, el primero en señalar este hecho desconcertante ha sido Agehananda Bharati, en una obra muy reciente *(The Tantric Tradition* se publicó en 1965.) También Bharati ha sido el primero y, que yo sepa, el único en tratar de una manera sistemática esta relación de oposición. El abandono del esperma equivale a un sacrificio ritual, según puede verse en este pasaje de un texto tántrico *(Vāmamārga):* " (el devoto), sin cesar de recitar mentalmente su *mantra,* abandona su esperma con esta invocación: *Om* con luz y éter (como si fuesen) mis dos manos. Yo, el triunfante... Yo, que he consumido *dharma* y *no-dharma* como las porciones del sacrificio, ofrezco esta oblación amorosamente en el fuego..." *Dharma* y *no-dharma* me parece que aquí designan, respectivamente, lo permitido y lo prohibido por el hinduísmo ortodoxo. La mención final del fuego, identificado con el cuerpo femenino, alude a uno de los rituales más antiguos de la India: el sacrificio ígneo. La ceremonia tántrica hindú reincorpora y reactualiza la tradición india. Como es sabido, la religión védica estaba fundada en la noción de sacrificio ritual. Algo, observa con pertinencia Bharati, que ha sido y es el elemento cardinal de la religión hindú, desde la época védica hasta nuestros días. El budismo, en cambio, se presentó precisamente como una crítica del ritualismo bramínico y de su obsesión por el sacrificio. Es verdad que en el transcurso de su historia creó rituales que rivalizan con los del hinduísmo pero en ellos no es central la noción de sacrificio. El budismo carga el acento en la renuncia al mundo; el hinduísmo concibe al mundo como un rito cuyo centro es el sacrificio. Ascetismo y ritualismo: retención seminal, abandono del esperma.

La simetría inversa que rige a la polaridad femenino/masculino, activo/pasivo, vacuidad/ser, se repite en la actitud ante la eyaculación, sólo que ahora se manifiesta en la forma de retención/abandono, renuncia/sacrificio, interiorización/exteriorización. El proceso es el mismo: retención del semen = disolución del sujeto en la vacuidad (objeto); abandono del semen = unión del objeto con el ser (sujeto). En esta dialéctica encontramos las mismas afirmaciones y negaciones que definen al budismo y al hinduísmo: negación del alma y del yo, afirmación del ser (*ātman*); un monismo sin sujeto, y un monismo que reduce el todo al sujeto... Aunque la oposición entre el cristianismo protestante y el tantrismo es de otro orden, asume la misma forma de simetría inversa. La relación se acusa con mayor nitidez ante las funciones fisiológicas básicas de ingestión y deyección de las dos sustancias y de sus símbolos: el excremento y el semen. A la retención simbólica del excremento en el cristianismo protestante corresponde, en sentido inverso y contrario, su ingestión también simbólica en el tantrismo hindú y budista (alimentos impuros). Frente a la eyaculación seminal, la tonalidad del tantrismo es improductiva y primordialmente religiosa: la retención y el abandono son homólogos, la primera, de la disolución en la vacuidad suprema y, la segunda, de la unión con la plenitud del ser; en el protestantismo la significación es productiva y moral: la procreación de hijos. La copulación es, en el tantrismo, una violación religiosa de las reglas morales; en el protestantismo, es una práctica legítima (si se realiza con la esposa) destinada a cumplir el precepto religioso bíblico. Destrucción de la moral por la religión; transformación de la religión en moral. El esperma, en el tantrismo, se trasmuta en sustancia sagrada que termina por ser inmaterial, ya sea porque la consume el fuego del sacrificio o porque se transfigura en "pensamiento de la iluminación". En el protestantismo el semen engendra hijos, familia: se vuelve social y se transforma en acción sobre el mundo.

El protestantismo reclamó la libre interpretación de los libros santos y de ahí que uno de los primeros problemas a que se enfrentó haya sido el del significado del texto sagrado: ¿qué quieren decir realmente las paradojas del Evangelio y los mitos e historias, frecuentemente inmorales, de la Biblia? La interpretación protestante es una crítica moral y racional del lenguaje mítico. El tantrismo también acepta la libertad de interpretación sólo que su exégesis es simbólica: transforma la metafísica del budismo mahayana en una analogía corporal y pasa así de la crítica al mito. El lenguaje protestante es claro; el de los Tantras es "el lenguaje crepuscular": un idioma en el que cada palabra tiene cuatro o cinco sentidos a la vez, según se ha visto. Separación entre el mito y la moral; fusión de la moral y la metafísica en un lenguaje mítico. El protestantismo reduce el ritual al mínimo; el tantrismo es ante todo ritual. En un estudio singularmente penetrante Raimundo Panikar ha mostrado que el cristianismo es sobre todo una *ortodoxia* y el hinduísmo una *ortopraxia*. Aunque quizá esta distinción no sea enteramente aplicable al budismo hinayana, sí lo es al mahayana. El protestantismo y el budismo tántrico exageran las tendencias de sus respectivas tradiciones religiosas: crítica de los textos y de la ortodoxia en el primero y ritualización de las ideas en el segundo. Preocupación por las opiniones y obsesión por las prácticas; lenguaje claro y discusión pública, lenguaje figurado y ceremonias clandestinas.

El tantrismo es esotérico y la doctrina se trasmite en secreto; el protestantismo se propaga abiertamente, por el ejemplo y el sermón para todos. Sectas escondidas y cerradas; sectas abiertas y que viven a la luz del día.

La negación del cuerpo y del mundo se transforma en moral utilitaria y en acción social; la absorción del cuerpo en la vacuidad culmina en el culto al desperdicio y en una actividad asocial. Exaltación de lo económico y lo útil; indiferencia frente al progreso y anulación de las distinciones sociales y morales. Introspección solitaria, sumas y restas del pecado y la virtud, confrontación silenciosa con un Dios terrible y justo: el mundo como proceso, juicio y sentencia. El mal y el bien, lo útil y lo nocivo son, como el ser y el no-ser, palabras huecas, ilusiones: el yogín es el hombre libre que ha traspasado el engaño dualista. El tribunal de la conciencia; el juego erótico del cosmos en la conciencia. Pesimismo, moralismo y utilitarismo. Pesimismo, amoralismo y contemplación no-productiva. Vida social organizada: el sacerdote se casa, dirige una familia y su iglesia está en el centro del pueblo; vida individual mística: el adepto es célibe, no tiene casa y vive al margen del mundo. El pastor y el asceta errante: uno, afeitado y vestido de negro, se ocupa en tareas filantrópicas; el otro, la cabellera enmarañada y el cuerpo desnudo cubierto de cenizas, baila y canta en los templos canciones místicas y licenciosas. El protestante vive desgarrado por la oposición entre predestinación y moral; el religioso indio es una paradoja andante. Retención y transformación del excremento en signo económico; emisión seminal para procrear hijos. Absorción del excremento y negación del intercambio monetario; retención seminal para obtener la iluminación. Muerte por separación de la cara y el sexo: agresividad moral y, al final, rigidez. Muerte por fusión del sexo y la cara: autofagia y, al final, disolución. Figuras extremas y profanas de ambas tendencias: el banquero y el mendigo.

4. EL ORDEN Y EL ACCIDENTE

El sinólogo R. H. Van Gulik, al que debemos varias obras valiosas —entre ellas esa triple, intrigante e intrincada historia policiaca: *Dee Goong An*— publicó un poco antes de morir un libro monumental y fundamental sobre la vida sexual en la antigua China.* Valido de su familiaridad con las civilizaciones del Oriente, el sabio diplomático holandés propone una hipótesis nueva acerca del origen del tantrismo: la idea central —la retención del semen y su trasmutación— viene del taoísmo. Van Gulik presenta argumentos poderosos. No es aquí el lugar para discutirlos ni mi limitadísima competencia me autoriza para terciar en el debate. Señalaré únicamente que en algunos textos tántricos hindúes se menciona a *Cīna* (China) y a *Mahācīna* (¿Mongolia, Tibet?) como las tierras de elección de las prácticas de meditación sexual. Bharati cita un pormenor curioso: el ofrecimiento a *Siva* de un pelo del pubis de la *śakti,* arrancado después de la cópula ritual y húmedo aún de semen, se llama *mahācīna sādhanā.* No hay que olvidar, por otra parte, que los textos a que me refiero son recientes en tanto que la antigüedad del budismo *Vajrayāna* remonta, por lo menos, al siglo VI después de Cristo. En realidad la solución del problema depende, tal vez, de la solución de otro, más importante: el origen del Yoga. ¿Es preario y aborigen de la India, como piensa ahora la mayoría de los especialistas, o viene del

---

* *Sexual Life in Ancient China,* Leiden, 1961. El libro comprende un periodo más amplio que el indicado por su título, ya que termina en el siglo XVII, con la dinastía Ming. Una observación al margen: el señor Van Gulik traduce al latín los pasajes escabrosos de los textos chinos, como si el conocimiento de esa lengua fuese un certificado de moralidad. El señor Snellgrove omite traducir algunos fragmentos, por fortuna muy pocos, del *Tantra Hevajra,* que considera particularmente escatológicos. Esto último es más grave: casi todos, más o menos y con poca o mucha dificultad, podemos entendérnoslas con el latín, no con el tibetano ni el sánscrito híbrido.

Asia Central (chamanismo), según opinan otros? La presencia de elementos yógicos en el taoísmo primitivo, señalados primero que nadie por Maspéro, aumenta nuestra perplejidad. El origen del Yoga es tan oscuro como el de la idea del alma entre los griegos. En todo caso hay algo indudable: la antigüedad y la universalidad de la creencia en el semen como una sustancia dadora de vida. Esta idea, presente en todas las sociedades, llevó a otra que es igualmente universal: la retención del esperma es economía vital, atesoramiento de vida. La castidad como receta de inmortalidad. A reserva de volver sobre este tema, me limitaré por ahora a decir que los textos alquímicos chinos y los curiosos *Tratados del lecho* ofrecen más de una analogía con los Tantras indios. Esas semejanzas no son coincidencias sino que revelan influencias precisas, ya sea que se trate de un préstamo indio a China o de que, como sostiene Van Gulik, el intercambio haya sido más complicado: primero, influencia china en India; después, reelaboración dentro del contexto religioso indio; finalmente, regreso a China. Ahora bien, dentro de la perspectiva de estas reflexiones y una vez aceptada la relación entre los textos chinos y los indios, lo que me interesa destacar es sus diferencias. Me parecen más significativas que las similitudes.

La erótica china es tan antigua como los cuatro emperadores legendarios. La erotología, en el sentido especializado del término, también es muy antigua y se confunde, por una parte, con la alquimia y, por la otra, con la medicina. Van Gulik menciona seis *Tratados del lecho* del periodo Han, todos desaparecidos por obra del celo de los neoconfucianos y de la pudibundez de la dinastía manchú. En cambio, han llegado hasta nuestros días textos de las dinastías Sui, T'ang y Ming. El nombre colectivo de estas obritas era *Fang-nei* (literalmente: "dentro de la cama"), y *Fang-shi* ("el asunto de la cama"). Eran libros sumamente populares. Abundantemente ilustrados, constituían una suerte de manuales de uso común, principalmente entre los recién casados y también entre los solteros de ambos

...leídos con avidez no sólo por los hombres [*p. 98*]

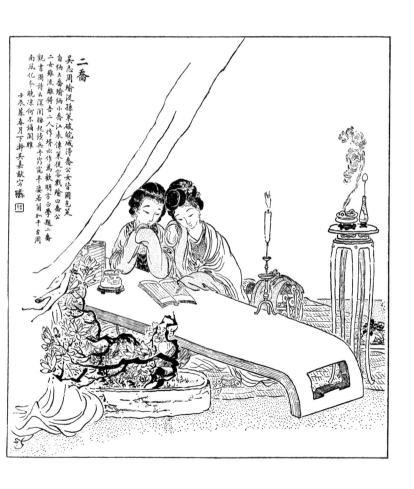

二喬

吳志周瑜從孫策攻皖城破之得橋公女皆國色策
自納大喬瑜納小喬江表傳喬復喬瑜曰橋公
二女雖流離得吾二人作壻亦作為歡明方正學題二喬
觀書圖詩云深閨睡起兵年窓宽平喫著蘭如千古用
南風化今晚涼何不鯣關雜

壬辰暮春月下浣吳嘉猷寫瀟

sexos. La forma literaria es la didáctica por excelencia, como la de nuestros catecismos: el sistema de preguntas y respuestas. En general los personajes del diálogo son el mítico Emperador Amarillo y una muchacha que lo instruye en los secretos sexuales. La interlocutora se llama a veces Su-nü, la Muchacha Simple; otras Hsüan-nü, la Muchacha Morena; y otras Ts'ai-nü, la Muchacha Elegida. Aunque la inspiración es más taoísta que confuciana, al principio los seguidores de Confucio no mostraron demasiada oposición a su difusión. Para comprender el carácter de estos textos debe tenerse presente la concepción básica general en China sobre la sociedad, la naturaleza y el sexo. El principio es el mismo para confucianos y taoístas: el arquetipo del orden humano es el orden cósmico. La naturaleza y sus cambios *(T'ien-tao)*, la dualidad luz y sombra, cielo y tierra, dragón y tigre, es el fundamento del *I Ching* (Libro de las Mutaciones) tanto como de la moral y política de Confucio, las especulaciones de Lao Tzu y Chuang Tzu y las elucubraciones de la escuela *yang* y *yin*. No menos importante es la antigua idea de que el hombre produce semen en cantidades limitadas, en tanto que la mujer produce *ch'i*, humor vital, de manera ilimitada. De ahí que el hombre deba apropiarse del *ch'i* y conservar lo más posible su semen. Tal es el origen, absolutamente pragmático, a la inversa de la India, de la retención seminal. En los Tratados del lecho se enumeran y describen minuciosamente los métodos para retener el semen y transformarlo en principio vital. Igualmente se indican los días fastos para la concepción, en general la semana siguiente al fin de la menstruación.

La inmortalidad, en un sentido estricto, no es una noción confuciana. Fan Hsüan Tzu pregunta a Mu-shu: "Los abuelos decían: muerto pero inmortal. ¿Qué querían decir?" Mu-shu responde: "En Lu vivía un alto dignatario que se llamaba Tsang-Wen-chung. Después de su muerte, sus palabras permanecieron. Eso es lo que significa el antiguo proverbio. He oído que lo mejor es fundar por la virtud (los principios), después por la acción (el ejemplo) y después por las palabras (la doctrina). Esto es lo que podemos llamar inmortalidad. En cuanto a la preservación del nombre familiar y la continuación de los sacrificios a los antepasados: ninguna sociedad (civilizada) puede ignorar esas prácticas. Son loables pero no dan la inmortalidad." * No obstante, la permanencia de la familia, la sociedad y el Estado son una suerte de inmortalidad social y biológica para Confucio y sus discípulos. El hombre es la sociedad y la sociedad es la naturaleza: una continuidad biológica, histórica y cósmica. Por tal razón, los Tratados del lecho sólo tenían un valor subsidiario: reglas de conducta sexual destinadas a impedir la vejez prematura, preservar la vitalidad masculina y garantizar un coito fructífero. La erotología como una rama de la moral familiar y, por extensión, del buen gobierno. Debe agregarse que los consejos de los tratados eran efectivamente muy útiles si se recuerda que la familia china era polígama; en el fondo lo que predicaban esos libros era un control juicioso de la sexualidad masculina. La desconfianza confuciana, que más tarde se cambiaría en hostilidad, provino de la misma preocupación por la estabilidad y santidad de la familia. Los libros de erotología eran algo más que tratados de higiene: manuales de placer, enciclopedia de pequeñas o grandes perversiones, apologías del lujo y, lo que era peor, de los desórdenes pasionales. Leídos con avidez y no sólo por los hombres sino por las mujeres, trastornaban la armonía natural de las relaciones entre los sexos, esto es, la posición subalterna de la mujer.

El taoísmo se presentó desde el principio como un arte o método para alcanzar, al mismo tiempo que un estado de feliz acuerdo con el cosmos, la inmortalidad o, por lo menos, la longevidad. El ser primor-

* *Tso chuan* (Comentarios de Tso a los *Anales de Otoño y Primavera*), en *A Source Book in Chinese Philosophy*, compilación y traducción de Wing-tsit Chan, Princeton University Press, 1963.

dialmente un método y subsidiariamente una filosofía, lo asemeja al Yoga. El parecido es aún más notable si se advierte que unos y otros, adeptos taoístas y yogines, utilizaban ciertas técnicas corporales para "nutrir el principio vital" y que entre ellas figuraban, en primer término, los ejercicios respiratorios. Entre las prácticas taoístas destinadas a obtener la inmortalidad las más importantes eran, sin duda, las relativas a la retención del esperma. Ya he mencionado la antigüedad y universalidad de la identificación del semen con los poderes vitales. Esta idea puede volverse obsesiva: en la India moderna la generalidad cree que toda pérdida de semen, por copulación o por derrame, acorta la vida. No es un secreto que muchos occidentales, así sea de una manera inconciente, sienten el mismo temor. En la antigüedad, al hacer del semen el homólogo del principio vital, se le divinizó: fue espíritu, potencia divina y creadora. Esta creencia contribuyó poderosamente al nacimiento y al desarrollo del ascetismo: la castidad no fue únicamente un procedimiento para atesorar vida sino asimismo un método para trasmutar el esperma en espíritu y poder creador. ¿No es esto lo que nos dicen los mitos del nacimiento de Afrodita y Minerva? Pero la retención seminal, para el adepto taoísta, no podía ser sino la mitad de la operación: la otra mitad consistía en la apropiación del *ch'i* femenino, considerado como la manifestación más pura de la esencia yin. Aclaro: *esencia* más en el sentido material que en el filosófico, más fluido que idea. Desde su origen, la civilización china concibió al cosmos como un orden compuesto por el ritmo dual —unión, separación, unión— de dos poderes o fuerzas: el cielo y la tierra, lo masculino y lo femenino, lo activo y lo pasivo, yang y yin. Asimilar el yin *(ch'i)* y unirlo al yang (semen no derramado) equivalía a convertirse uno mismo en un cosmos idéntico al exterior, regido por el abrazo rítmico de los dos principios vitales.

Como el tantrismo y por las mismas razones de orden ritual y poético, el taoísmo inventó un sistema cifrado de expresiones y símbolos. El crítico inglés

Philip Rawson lo califica como una "criptografía sexual".* La diferencia con el tantrismo es, a mi juicio, la siguiente: los símbolos y expresiones tántricas son conceptos sensibles y obedecen a rigurosas distinciones de orden filosófico, en tanto que las imágenes taoístas son fluidas y están más cerca de la imaginación poética que del discurso racional. El taoísmo no está regido por una dialéctica intelectual sino por la ley de las asociaciones de imágenes: una arborescencia poética. En un caso, el cuerpo humano y el del cosmos concebidos como una geometría de conceptos, una lógica espacial; en el otro, como un sistema de metáforas y de imágenes visuales, un tejido de alusiones que perpetuamente se deshace y rehace. El patrón de la longevidad en el santoral taoísta es Shou Lou: este personaje aparece en pinturas y grabados como un risueño centenario de cabeza enorme —"repleta de semen", subraya Rawson— que lleva en la diestra un melocotón (imagen de la vulva), el dedo índice oprimiendo la hendidura de la fruta. El tantrismo nos enfrenta a símbolos precisos; el taoísmo a imágenes alusivas y elusivas. La cadena de asociaciones inspiradas por las formas naturales es extensa y sugestiva: granada entreabierta → peonía → concha → loto → vulva. El rocío, la niebla, las nubes y otros vapores están asociados al fluido femenino, lo mismo que ciertas clases de hongos. Otro tanto sucede con los atributos masculinos: pájaro, rayo, ciervo, árbol de jade. La imagen del cuerpo humano como el doble del cuerpo cósmico aparece una y otra vez en poemas, ensayos y pinturas. Un paisaje chino no es una representación realista, sino una metáfora de la realidad cósmica: la montaña y el valle, la cascada y el abismo son el hombre y la mujer, yang y yin en conjunción o disyunción. La *Gran Medicina de las Tres Cumbres* se halla en el cuerpo de la mujer y está compuesta por tres jugos o esencias: uno que viene de la boca femenina, otro de sus pechos y el tercero, el más

* Cf. *Erotic Art of the East,* por Philip Rawson, introducción por Alex Comfort, Nueva York, 1968.

potente, de la *Gruta del Tigre Blanco,* que está al pie de la *Cumbre del Hongo Purpúreo* (monte de Venus). Estas metáforas mitad poéticas y mitad medicinales explican, dice Rawson, la popularidad entre los chinos del cunnilictio: "esa práctica era un excelente método para imbibirse del precioso fluido femenino". La geografía corporal tántrica alude a los lugares de la religión, es una guía de la peregrinación de los devotos: los ríos sagrados como el Ganges y el Jamuna, las ciudades santas como Benares y Bodhigaya. En China el cuerpo es una alegoría de la naturaleza: arroyos, hondonadas, cumbres, nubes, grutas, frutos, pájaros.

Es comprensible que los métodos de retención seminal y de apropiación del *ch'i* femenino fuesen inseparables de la alquimia y de las prácticas de meditación. Van Gulik menciona varios textos de alquimia en los que se equiparan las operaciones y transformaciones de las sustancias a la copulación. Uno de ellos, titulado el *Pacto de la triple ecuación,* se funda en una analogía universal: la trasmutación del cinabrio en mercurio, la del semen en principio vital durante el *coitus reservatus* y la transformación de los varios elementos según las combinaciones de los hexagramas del *I Ching.* El principio de "dos en uno" —en simetría inversa al del "uno en dos" del arquetipo andrógino— inspira lo mismo a la alquimia que a la erótica mística en todas partes. Apenas se concibe al cuerpo como el doble analógico del macrocosmos, la alquimia tiende un puente entre ambos. Inclusive un poeta que no se distinguió particularmente por su inclinación al misticismo taoísta, Po Chü-i, escribió un poema sobre los abrazos alquímicos del dragón verde (el hombre) y el tigre blanco (la mujer). Señalo, por último, que en sus formas extremas el taoísmo también conoció y practicó, a la manera tántrica, la copulación pública. No por libertinaje —aunque éste también sea ascético— sino para apropiarse del principio vital y así conquistar la inmortalidad o, al menos, la longevidad. Uno de los episodios más dramáticos de la antigua historia china es la revuelta popular llamada la Rebelión de los Turbantes Amarillos. El nombre alude a una secta taoísta que al final del periodo Han logró organizar una vasta porción de China en una suerte de comunismo militante y religioso. Aunque no conocemos sino los testimonios de los enemigos de los Turbantes Amarillos, parece ser indudable que el movimiento conquistó la apasionada adhesión del pueblo y de ciertos grupos pertenecientes a la "inteligencia". También es indudable que los rebeldes eran adeptos del misticismo sexual taoísta y que practicaban los ritos de copulación colectiva. El rito ha sobrevivido, en una semiclandestinidad, hasta nuestros días. En 1950 el gobierno de la República Popular de China descubrió y disolvió una secta *(I-kuan-tao)* cuyos adeptos practicaban todavía las antiguas ceremonias sexuales del taoísmo mágico.

La erótica india no ofrece nada semejante. Para los indios, las tres actividades humanas centrales son el placer *(kāma)*, el interés *(artha)* y la vida espiritual y moral *(dharma)*. La erótica es parte de la primera. Como en el caso de los tratados chinos, el primer libro, el famoso *Kāmasūtra,* no es el principio sino la continuación, y la culminación, de una tradición muy antigua. Aunque su contenido técnico es semejante al de los textos chinos —posiciones, afrodisiacos, recetas mágicas, lista de compatibilidades e incompatibilidades anatómicas y temperamentales— las diferencias son marcadas. En primer lugar, no es un tratado de relaciones sexuales conyugales, a pesar de que contiene observaciones sobre las casadas, sino que abarca toda la gama del comercio carnal entre hombres y mujeres: la seducción de las muchachas solteras tanto como el trato con las cortesanas, las viudas y las divorciadas. Diferencia mayor con China: tiene todo un capítulo dedicado expresamente al adulterio. El tema del libro es francamente el placer y más bien en la calle que en el hogar. El placer concebido como un arte y como un arte de gente civilizada. La tonalidad es predominantemente técnica: cómo gozar y dar goce, y estética: cómo embellecer la vida y volver más intensas y duraderas las sensaciones. No hay la menor preocupación ni por la salud, excepto como condición del placer, ni por la familia ni por la inmortalidad. Doble ausencia: la moral y la mística, la política y la religión.

No conozco un libro menos utilitario ni menos religioso que el *Kāmasūtra*. Lo mismo sucede con los otros textos de la erótica india, tales como el *Kokaṣātra* y el *Anangaranga*. En ninguno de ellos se menciona la retención seminal aunque, por supuesto, se recomienda prolongar lo más posible el acto y se dan los consejos apropiados. Libros de estética erótica y de buenos modales de alcoba: su equivalente, dentro de otro contexto, sería *El cortesano* de Castiglioni. Los libros chinos eran parte de la medicina y bajo ese rubro figuraban en los antiguos catálogos. Los indios eran una rama de las artes mundanas, como el arte de los cosméticos y los perfumes, el tiro al arco y la culinaria, la música y el canto, la danza y la mímica. Otra diferencia, también capital: no estaban dirigidos ni al hombre de religión ni al jefe de familia sino al *dandy* elegante y a la cortesana rica. Estos dos tipos son, por lo demás, los héroes de los cuentos, novelas y poemas de la gran literatura *kāvya*. Louis Renou observa con pertinencia que los tratados de erótica (más que de erotología) eran utilísimos para los escritores, poetas y dramaturgos, "que tenían necesidad de conocer la teoría del *kāma* al mismo título que la del *alamkara* (retórica) y de la gramática. De hecho, toda la literatura refinada de la India clásica testimonia una familiaridad muy grande con la erótica".* Manuales de técnica sexual, libros de cortesía erótica, catecismos de la elegancia ociosa y refinada: el placer como una rama de la estética.

La comparación de la alquimia erótica china con los textos tántricos revela diferencias de otra índole pero no menos decisivas. La alquimia, claro está, no falta en los Tantras y, como en el taoísmo, tiene

* *L'Inde Classique*, París, 1953.

por objeto unir el fluido masculino y el femenino. Ahora bien, la unión sirve a fines distintos en cada caso. En el primero es un medio para lograr la iluminación y, subsidiariamente, ciertos poderes mágicos *(siddhi);* en el otro, la inmortalidad es el fin esencial. La meta del taoísta es reconquistar el estado natural porque, entre otras cosas, ser inmortal significa precisamente volver a unirse al movimiento rítmico del cosmos, reengendrarse sin cesar como el año y sus estaciones, el siglo y sus años. El llamado quietismo taoísta es inactivo, no inmóvil: el sabio es como la naturaleza que gira imperturbable y sin descanso, cambiante siempre y siempre regresando a su comienzo sin comienzo. El ideograma de la unión sexual en el *I Ching* es *Chi-chi:* arriba el triagrama *K'an* (agua, nube, mujer) y abajo el triagrama *Li* (fuego, luz, hombre). Es un momento y una situación en el orden natural: el chino no aspira a inmovilizarlo como el indio sino a repetirlo en el instante que señale la conjunción de los signos. Si el universo es cíclico y fluido, la inmortalidad debe ser vida que fluye y que recurre. El discurso de Occidente, la recurrencia de China...

El indio niega al curso y al transcurso; todas sus prácticas y meditaciones tienden a abolir al discurso y a su recurrencia: detener la rueda de las transmigraciones. El taoísta fluye con el fluir del cosmos: ser inmortal es recorrer el círculo y, al mismo tiempo, quedarse inmóvil en el centro. Es una paradoja que vale tanto como la paradoja cristiana o la budista. Vale tanto como ellas y es incomparablemente más sabia que la loca carrera de nuestro progreso, ese ciego y soberbio caminar de un punto desconocido a otro igualmente desconocido. El *hsü* taoísta es un estado de calma, libertad y ligereza invulnerable al ruido de afuera. No es la vacuidad del budismo, aunque sea también un estado de vaciedad. Más bien es lo fluido, lo no-determinado, lo que cambia sin cambiar, lo que nunca se detiene y está inmóvil. Unión y, no obstante, distancia, como la niebla en un paisaje Sung o esta línea de Su Tung-P'o: "Boatmen and water birds dream the same dream." * Sueñan el mismo sueño pero no son lo mismo. Tres actitudes: el indio niega al tiempo natural del taoísta y al tiempo histórico de Confucio, los sacrifica en el altar de la vacuidad o de la no-dualidad; Confucio absorbe al tiempo natural y a su esencia: el *ch'i,* para transformarlo en tiempo histórico: familia, sociedad, Estado; el taoísta niega al tiempo histórico y a la cultura para seguir el ritmo del tiempo natural. Las diferencias entre las actitudes confuciana y taoísta son divergencias; las diferencias entre ellas y la actitud india, religiosa o profana, es una verdadera oposición que vuelve insignificantes las semejanzas. Lo asombroso no es que haya habido préstamos de una a otra civilización sino que una misma práctica, la retención del semen, haya sido objeto de tan opuestas elaboraciones y doctrinas.

El tantrismo niega al tiempo histórico y al natural. Así, la conjunción entre los signos *cuerpo* y *no-cuerpo* equivale, a pesar del exagerado materialismo de sus prácticas, a una descorporeización. El taoísmo niega al tiempo histórico y moral: aspira a reintegrarse en el tiempo cósmico y a ser uno con el ritmo cíclico del cielo y la tierra que, alternativamente, se abrazan y separan. Es otro caso de conjunción, aunque menos extremada que la del tantrismo budista e hindú. Menos extremada y más fecunda. Aparte de los clásicos taoístas, que cuentan entre los libros más hermosos y profundos de todas las civilizaciones, esta doctrina ha sido como un río secreto que durante siglos no ha cesado de fluir. Inspiró a casi todos los grandes poetas y calígrafos y le debemos la mejor pintura china, para no mencionar su influencia en el budismo *Ch'an,* más conocido por su nombre japonés de Zen. Sobre todo, fue durante siglos el contrapeso de la ortodoxia confuciana; gracias al taoísmo la vida china no fue únicamente una inmensa, complicada ceremonia, un tejido de genuflexiones y deberes. Chuang Tzu fue

* *Su Tung-P'o,* traducido por Burton Watson, Columbia University Press, 1965.

la sal de esa civilización; la sal y la puerta abierta al infinito. Por todo esto, es desleal comparar al taoísmo con el tantrismo, que no es, después de todo, sino la última fase del budismo; la comparación debe hacerse con las grandes escuelas mahayanas *(Mādhyamika* y *Vijñāna)*. La conjunción budista es activa y deliberada; la taoísta, pasiva e inconsciente. El budismo creó una lógica estricta y que no es menos compleja que la moderna lógica simbólica; el taoísmo fue asistemático y estético. En la conjunción budista el signo *no-cuerpo* asume la forma lógica del principio de identidad: *nirvāṇa* es *saṃsāra;* en la taoísta el escepticismo y el humor disuelven al *no-cuerpo:* es más una poética que una metafísica, un sentimiento del mundo más que una idea. La incapacidad del taoísmo para elaborar sistemas de la riqueza y complejidad del budismo, lo preservó: no se inmovilizó en una dogmática y fue como "el agua del valle", que refleja en su quietud todos los cambios del cielo. Asimismo, le impidió autocriticarse, negarse y transformarse. Lentamente se deslizó por la pendiente hasta fundirse y confundirse con las supersticiones más groseras del vulgo. El taoísmo cesó de fluir: se estancó.

EL ORDEN Y EL ACCIDENTE

La actitud confuciana ante el sexo es moral pero no metafísica. Ni divinización ni condenación del falo. El cuerpo no es malo ni pecaminoso: es peligroso. Por eso debemos controlarlo y moderarlo. Control y moderación no quieren decir represión ni supresión sino armonía. El modelo de la armonía son los principios inmutables que rigen las conjunciones y disyunciones del cielo y la tierra. La sociedad virtuosa está regida por las mismas leyes: el imperio es el espejo del cosmos. Si el emperador es el hijo del cielo, el padre de familia es el sol de su casa. Regular la emisión de semen y absorber el principio vital femenino es conformarse a la armonía universal y contribuir a la salud general de la sociedad. La copulación conyugal es una parte del buen gobierno, como la etiqueta, el culto a los antepasados familiares, la imitación de los clásicos y el cumplimiento de los ritos. La esencia primordial del hombre es buena porque no es distinta a la bondad intrínseca de la naturaleza. Esa bondad innata se llama también orden, ya sea cósmico o social. El acto sexual cumple el objeto de la institución familiar —tener hijos y educarlos— que, a su vez, no hace sino reflejar y realizar entre los hombres el orden de la naturaleza. La procreación y la educación son fases de un mismo proceso. Durante la copulación, en los días favorables y con la mujer prescrita, se absorbe naturaleza en bruto, tiempo natural, que se trasmuta en naturaleza social, histórica: hijos. Lo mismo sucede con la educación, que es el proceso de socialización e integración de la prole biológica en la familia y de ésta en el imperio. En los dos casos no se trata de cambiar de naturaleza sino de volver al orden natural. En esto consiste lo que he llamado, un poco inexactamente, trasmutación. El tiempo pasional y caótico del sexo se convierte en tiempo histórico, social. La historia y la sociedad no son sino naturaleza pulida, devuelta a su estado pristino, primordial.

En el párrafo anterior he usado repetidas veces la palabra *historia*. Confieso que es una intrusión de un concepto extranjero al sistema de Confucio. Aclaro, pues, que historia debe entenderse, por una parte, como cultura y, por la otra, como la antigüedad arquetípica. El estado feliz de la antigüedad puede volver si los hombres se cultivan como los abuelos. La palabra *tê* se traduce en general por virtud, pero, según Waley, los antiguos chinos designaban también por *tê* el acto de plantar semillas.* Por tanto, *tê* es poder: posibilidad inherente de crecimiento. La virtud es innata en el hombre porque es una semilla; como tal, requiere cultivo. El modelo del cultivo, es decir: de la cultura, es la ac-

* Arthur Waley, *The Way and its Power*, Londres, 1934.

107

ción de la naturaleza, la gran productora de semillas y, así, de virtudes. La transformación del semen en vida social virtuosa —ya sea porque su emisión durante la copulación conyugal engendre hijos o porque su retención prolongue la vida— más que transformación es cultivo. En este sentido el acto sexual es idéntico a los otros actos del hombre civilizado; en todos ellos se cultiva el tiempo natural, hasta hacerlo coincidir con su principio escondido. Ese principio es *T'ien tao:* el orden cósmico.

La idea central que mueve al pensamiento de Confucio parece negar la relación entre los signos *cuerpo* y *no-cuerpo.* Y más: se tiene la impresión de que esos signos no se manifiestan siquiera en esa visión del mundo. En efecto, lo que he llamado *no-cuerpo* es *tê,* virtud; y esa virtud no es, para Confucio, sino naturaleza. En cuanto al *cuerpo:* también es naturaleza y es productor de *tê.* Todo se reduce a una diversidad de modos de existencia y no de esencia: cuerpo biológico individual, cuerpo social familiar, cuerpo político imperial, cuerpo del cosmos. Advierto, en primer término, que lo mismo podría decirse, aunque en sentido inverso, del budismo y del cristianismo: todo es vacuidad y todo es espíritu. En seguida: si se repara en la significación real de *tê,* se percibe inmediatamente que no es naturaleza sino cultura. El término opuesto, correspondiente a *saṃsāra* y a pecado, es barbarie, vida salvaje. *No-cuerpo* es cultura, vida social virtuosa. En consecuencia, la relación entre los signos es la misma que en las otras civilizaciones, aunque su significado particular sea distinto. Lo que ocurre —y esto explica la confusión— es que el *no-cuerpo* confuciano —y aún más acentuadamente el del taoísmo— estaba más cerca del *cuerpo* y de la naturaleza que la vacuidad budista y la divinidad cristiana. Por tal razón, inclusive si la sublimación operó como en las otras civilizaciones, el proceso de desequilibrio entre los signos fue distinto.

Max Weber describió en un estudio famoso las analogías entre el protestantismo y la clase mandarina confuciana. También señaló su esencial diferencia: el primero transforma al mundo; la segunda goza y usa de sus frutos. Pero a mi juicio la semejanza mayor (y no dicha) consiste en la trasmutación del tiempo natural —excremento en un caso y en el otro semen— en tiempo histórico y social. Ahora bien, la diferencia no es menos notable que la semejanza. La concepción de Confucio de la sociedad está inspirada en la producción natural de las cosas por la acción del orden inmutable. Ése es el significado del *té* y de cultura. La sociedad virtuosa, la cultura, es sociedad que se autoproduce y se repite como la naturaleza. Naturaleza que se reintegra, semen que se reabsorbe, vida que se multiplica y se autorregula. Orden, control, jerarquía: una armonía que no excluye ni las desigualdades ni los castigos. No hay disyunción como en el protestantismo y la conjunción nunca es extrema, como en el taoísmo y el tantrismo. Pero el confucianismo no fue invulnerable (ninguna idea y ninguna institución lo son) al doble ataque del sexo y la muerte. En el confucianismo la sublimación se expresa como neutralización de los signos por una progresiva parálisis. Una inmovilidad que, para cumplirse más efectivamente, da la ilusión del movimiento: la naturaleza se vuelve cultura y ésta, a su vez, se enmascara en falsa naturaleza que, de nuevo, se convierte en cultura y así sucesivamente. A cada vuelta, la naturaleza es menos natural y la cultura más rígida y formal. China se conserva en la recurrencia pero no se niega y, por tanto, no va más allá de sí misma. La petrificación final era inevitable. La petrificación y el volver a empezar todo otra vez: ayer el Primer Emperador de los Ch'in y hoy su reencarnación, el Presidente Mao. Un volver a empezar total, absoluto, ya que no sólo abarca al presente y al futuro sino también al pasado —ayer por la quema y destrucción de los clásicos, hoy por la distorsión de la civilización china y por la imposición de la "interpretación maoísta" de la historia. Maniacas confiscaciones del pasado, destinadas siempre a ser, a su vez, confiscadas por esa potencia que es, simultáneamente, la expresión más cierta del

futuro y la abolición de todo tiempo: el olvido...
En suma, el proceso de sublimación en el confucianismo fue la cultura: imitación de la naturaleza y de los clásicos; en el protestantismo, la represión moral. Las dos actitudes se expresan plásticamente, por decirlo así, en sus opuestas reacciones frente al semen y el excremento.

En India y China la conjunción fue el modo de relación entre los signos *cuerpo* y *no-cuerpo*. En el Occidente, la disyunción. En su última fase, el cristianismo exagera la separación: condenación del cuerpo y de la naturaleza en la ética protestante. El otro polo de la relación (espíritu, alma) es algo muy alejado del Tao de Lao Tzu, la vacuidad de Nāgārjuna o el orden natural de Confucio: el reino de las ideas y las esencias incorruptibles. Divorcio entre el cielo y la tierra: la virtud consiste en el sacrificio de la naturaleza para merecer el cielo. En su fase última, el cristianismo engendra la sociedad arreligiosa moderna y desplaza la relación vertical entre los términos por la horizontal: el cielo se vuelve historia, futuro, progreso; y la naturaleza y el cuerpo, sin dejar de ser enemigos, cesan de ser objetos de condenación para convertirse en sujetos de conversión. La historia no es circular y recurrente, como en China; tampoco es un intervalo entre la Caída y el Fin, como en la sociedad medieval o, como en la democracia griega, lucha entre iguales: es acción abierta hacia el futuro, colonización de lo venidero. El antiguo cristianismo, gemelo en esto del Islam, concibió a la acción histórica como cruzada, guerra santa y conversión de infieles. Los occidentales modernos transfieren la conversión a la naturaleza: operan sobre ella, contra ella, con el mismo celo y con mejores resultados que los cruzados contra los musulmanes. La transformación del excremento en oro abstracto no fue sino una parte de la inmensa tarea: someter al mundo natural, domar al fin a la materia contaminada y contaminadora, consumar la derrota del elemento potente y rebelde. La conquista, dominación y conversión de la naturaleza tiene raíces teológicas, aunque los que hoy la emprenden sean hombres de ciencia arreligiosos y aún ateos. La sociedad contemporánea ha dejado de ser cristiana pero sus pasiones son las del cristianismo. A pesar de que nuestra ciencia y nuestra técnica no son religiosas, poseen un temple cristiano: las inspira el furor pío de los cruzados y los conquistadores, ahora dirigido no a la conquista de las almas sino del cosmos. China concibió a là cultura como cultivo de la naturaleza; el Occidente moderno como dominio sobre ella; una fue cíclica y recurrente; la otra es dialéctica: se niega cada vez que se afirma y cada una de sus negaciones es un salto hacia lo desconocido.

Occidente: disyunción extrema y violencia no menos extrema. No faltará quien ponga en duda lo primero y observe que nuestra época es *materialista*. Otros dirán que la violencia de Occidente no es mayor que la de asirios, aztecas y tártaros, con la diferencia de que es una violencia creadora: ha cubierto la tierra de construcciones espléndidas y ha poblado de máquinas el espacio. Responderé brevemente. Es verdad que, desde el siglo xvi, el pensamiento de Occidente y sobre todo su ciencia es menos y menos espiritualista. La significación tradicional del signo *no-cuerpo* ha cambiado paulatinamente: primero tuvo un sentido religioso (la divinidad); después filosófico (idealismo); más tarde crítico y finalmente materialista. Esto último merece una aclaración. No importa que la concepción contemporánea de la materia tenga poco que ver con el antiguo materialismo: inclusive si la consideramos como un tejido de relaciones o estructuras que no están regidas, al menos en todos los casos, por el determinismo científico del siglo xix, difícilmente podemos llamar *ideas* o *espíritu* a las partículas atómicas o a las células biológicas. Tampoco pensamos en ellas como *creaciones:* son objetos, cosas, nudos de relaciones y fuerzas que podemos describir aproximadamente. En esta esfera la idea de creación es o superflua o redundante: la noción de un creador no forma parte de las reglas del juego científico. Dicho todo esto, agrego que estamos ante un *materialismo* —para seguir empleando ese término inexacto— que se opone a la realidad concreta del signo *cuerpo* con la misma rigidez del antiguo espíritu. Para conocer a la naturaleza —en realidad: para dominarla— la hemos cambiado; ha cesado de ser una presencia corpórea para transformarse en una relación. La naturaleza se ha vuelto, hasta cierto punto, inteligible; también se ha vuelto intangible. Ya no es cuerpo: es ecuación. Una relación que se expresa en símbolos y que, por tanto, es idéntica al pensamiento o reductible a sus leyes. El solipsismo científico es una variante del solipsismo lingüístico. Sobre este último decía Wittgenstein que era legítimo y coherente: "el mundo es mi mundo: esto se manifiesta por el hecho de que los límites del lenguaje significan los límites de mi mundo... Yo soy mi mundo". Sólo que ese "yo soy" no es el cuerpo sino mi lenguaje —el lenguaje. Un lenguaje que cada vez es menos mío: es el de la ciencia.

El carácter abstracto de nuestro materialismo también se manifiesta en las ciencias humanas. Las "cosas sociales" de Durkheim y Mauss no son realmente objetos sino instituciones y símbolos elaborados por una entelequia que se llama sociedad. Apenas si vale la pena destacar otro ejemplo: el del materialismo histórico o dialéctico. La primera expresión indica que estamos ante una materia histórica, hecha por los hombres. No es el cuerpo: es la historia. Por lo que toca a la segunda: nadie ha podido explicar todavía la relación entre materia y dialéctica. No, ni nuestra materia es corpórea ni nuestro materialismo es carnal. El viejo espíritu ha cambiado de domicilio y de nombre. Ha perdido algunos atributos y ha ganado otros: eso es todo. El mismo psicoanálisis es parte de la sublimación y, por tanto, de la neurosis de la civilización de Occidente. En efecto, las fronteras entre neurosis y sublimación son muy tenues: la primera nos encierra en un imaginario callejón sin salida y la segunda nos abre una salida igualmente imaginaria. La terapéutica del psicoanálisis equivale, en lo individual, a las sublimaciones colectivas. Norman O. Brown cita una

坎東來填
離卦成乾
天地定位
返本還元

frase de Freud que me economiza proseguir esta demostración: "las neurosis son estructuras asociales. Tratan de realizar por medios privados lo que se realiza en la sociedad por medios colectivos". Esos medios colectivos son las sublimaciones que llamamos arte, religión, filosofía, ciencia y psicoanálisis. Sólo que las sublimaciones, englobadas bajo el signo *no-cuerpo,* conducen también a las sociedades a callejones sin salida cuando la relación con el signo *cuerpo* se rompe o se degrada. Esto es lo que ocurre en Occidente, no a pesar de nuestro materialismo sino por causa suya. Es un materialismo abstracto, una suerte de platonismo al revés, desencarnado como la vacuidad del Buda. Ni siquiera provoca ya la respuesta del cuerpo: se ha deslizado en él y, como un vampiro, le chupa la sangre. Basta hojear una revista de modas para comprobar el estado lastimoso a que ha reducido el nuevo materialismo a la forma humana: los cuerpos de esas muchachas son la imagen misma del ascetismo, la privación y el ayuno.

La disyunción de Occidente, contrariamente a lo que ocurría en la conjunción oriental, impide el diálogo entre el *no-cuerpo* y el *cuerpo,* de modo que fatalmente nos lleva a la acumulación de las sublimaciones. Ahora que "el camino de la acumulación de sublimaciones", dice Brown, "es también el camino de la acumulación de la agresión". El resultado es la explosión. No es necesario extenderse en la descripción de las atrocidades de Occidente. Acepto de buen grado, por lo demás, que las de las otras civilizaciones no hayan sido menos terribles. En cambio, subrayo la tonalidad específica de la violencia occidental. Para el Occidente cristiano las sociedades extrañas fueron siempre la encarnación del mal: vieron en ellas al enemigo del *no-cuerpo;* las sociedades extrañas —salvajes y civilizadas— eran manifestaciones del mundo inferior: cuerpo. Y como cuerpos fueron tratados, con el mismo rigor con que los ascetas castigaban a sus sentidos. Shakespeare lo dice sin tapujos en *La tempestad.* La diferencia de actitudes entre la colonización en América de los hispano-portugueses católicos y la de los anglosajones protestantes no es sino una expresión de las actitudes básicas de unos y otros ante el cuerpo. Para el catolicismo de la Contrarreforma todavía existía la posibilidad de mediación entre el *cuerpo* y el *no-cuerpo;* consecuencia: la conversión y el mestizaje. Para el protestantismo, el abismo era ya insalvable; resultado: el exterminio de los indios americanos o su reclusión en los "territorios reservados".

El sentimiento de culpa refuerza nuestras tendencias agresivas. Asimismo, las transfiere: los otros nos amenazan, nos persiguen, quieren destruirnos. Los otros son también y predominantemente lo Otro: los dioses, las fuerzas naturales, el universo entero. En todas las civilizaciones, sin excluir el primer periodo de la nuestra (catolicismo medieval), los terremotos, epidemias, inundaciones, sequías y demás calamidades eran vistas como una agresión sobrenatural. A veces: manifestaciones de la cólera, el capricho y aún la insensata alegría de las divinidades; otras: castigos por los pecados, los excesos o las faltas de los hombres. Un recurso consistía en aplacar o comprar la benevolencia de la deidad con sacrificios, buenas obras, ritos de expiación, desagravios y otras prácticas; otro medio era la transfiguración de la pena por la sublimación ética o filosófica, como en el Edipo de Sófocles o en la visión de Arjuna en el campo de batalla, al contemplar a Viṣṇu como el indiferente dador de vida y muerte. De ambas maneras, por el rito o por la resignación filosófica, el hombre podía reconciliarse con su desgracia. Esa reconciliación, ilusoria o no, tenía una virtud específica: insertar la desdicha en el orden cósmico y humano, volver inteligible la excepción, dar sentido al accidente. La ciencia moderna ha eliminado las epidemias y nos ha dado explicaciones plausibles acerca de las otras catástrofes naturales: la naturaleza ha dejado de ser la depositaria de nuestro sentimiento de culpa; al mismo tiempo, la técnica ha extendido y amplificado la noción de accidente y, además, le ha dado un carácter absolutamente distinto. Dudo que el nú-

mero de las víctimas de caídas de caballo y de pica-
duras de serpiente haya sido mayor en la antigüedad, incluso proporcionalmente, al que ahora causan
los automóviles que se vuelcan, los trenes que se
descarrilan, los aviones que se estrellan. El accidente
es parte de nuestra vida cotidiana y su sombra pue-
bla nuestros insomnios como el mal de ojo desvela
a los pastores en los villorrios de Afganistán.

Aparte del accidente individual y diario, hay el
Accidente universal: la bomba. La amenaza de extinción planetaria no tiene fecha fija: puede ser hoy
o mañana o nunca. Es la indeterminación extrema, aún más difícil de prever que la ira de Jehová
o la rabia de Siva. El Accidente es lo probable
inminente. Lo inminente porque puede suceder hoy;
lo probable porque en nuestro universo no solamente han desaparecido los dioses, el espíritu, la
armonía cósmica y la ley de la causalidad plural
budista sino porque, simultáneamente, se ha des-
plomado el determinismo confiado de la ciencia del
siglo XIX. El principio de indeterminación en la física contemporánea y la prueba de Gödel en la
lógica son el equivalente del Accidente en el mundo
histórico. No digo que sean lo mismo: digo que en
los tres casos los sistemas axiomáticos y determinis-
tas han perdido su consistencia y revelan una falla
inherente. Esa falla no es realmente una falla: es
una propiedad del sistema, algo que le pertenece
en tanto que sistema. El Accidente no es una excepción ni una enfermedad de nuestros regímenes
políticos; tampoco es un defecto corregible de nuestra civilización: es la consecuencia natural de nuestra ciencia, nuestra política y nuestra moral. El
Accidente forma parte de nuestra idea del progreso
como la concupiscencia de Zeus y la ebriedad y
la glotonería de Indra eran parte, respectivamente,
del mundo griego y de la cultura védica. La diferencia consiste en que se podía distraer a Indra
con un sacrificio de *soma* pero el Accidente es incorruptible e imprevisible.

Convertir al Accidente en una de las ruedas del
orden histórico en marcha no es menos prodigioso

que demostrar que ni el cerebro humano ni los
computers pueden probar que los axiomas de la
geometría y la aritmética —o sea: los fundamentos
de las matemáticas y el modelo de la lógica— son
absolutamente consistentes.* Sólo que las consecuencias son distintas: la prueba de Gödel o las
conclusiones de Heisenberg nos dejan perplejos; el
Accidente nos aterra. El signo *no-cuerpo* ha sido
siempre represivo y ha amenazado a los hombres
con el infierno eterno, el círculo de las trasmigra-
ciones y otras penas terribles. Ahora nos promete
la extinción total y accidental sin distinguir entre
justos y pecadores. El Accidente se ha vuelto una paradoja de la necesidad: posee la fatalidad de ésta y
la indeterminación de la libertad. El *no-cuerpo,* trans-
formado en ciencia materialista, es sinónimo del
terror: el Accidente es uno de los atributos de la
razón que adoramos. El atributo terrible, como la soga
de Siva o el rayo de Júpiter. La moral cristiana
le ha cedido sus poderes de represión pero, al mismo tiempo, toda pretensión de moralidad se ha
retirado de ese poder superhumano. Es el regreso
de la angustia de los aztecas aunque sin presagios
ni signos celestes. La catástrofe se vuelve banal e
irrisoria porque el Accidente, al fin de cuentas, no
es sino un accidente.

LA NOVIA DESNUDADA POR SUS SOLTEROS

Las respuestas internas a la represión de Occidente
han sido tan violentas como las reacciones externas
contra su opresión colonial. Además, asumieron desde el principio formas bizarras y fantásticas. Van
Gulik subraya que un examen de los Tratados del
lecho arroja un número muy reducido de perversiones y desviaciones sexuales. Cualquiera que haya

* Ernest Nagel y James B. Newman: *Gödel's proof,* Nueva
York, 1958. Ramón Xirau ha traducido este libro al español
y ha hecho agudos comentarios sobre el tema. Véase, por ejemplo, su crítica al estructuralismo en *Diálogos* (número 21, mayo-
junio de 1968).

leído las novelas eróticas chinas abundará en la opinión del sinólogo holandés. Lo mismo sucede con la literatura y el arte de la India, trátese de la escultura, la novela, la poesía o los libros de erotología. La excepción son los textos tántricos y aún en ellos los ritos escatológicos y sangrientos tienen por objeto, precisamente, reabsorber el instinto destructor. La relación de conjunción impidió, en la antigua Asia, el crecimiento excesivo del sadismo y el masoquismo. Ninguna civilización, con la excepción tal vez de la azteca, puede ofrecer un arte que rivalice en ferocidad sexual con el de Occidente. Y hay una diferencia con los aztecas: su arte fue una sublimación religiosa; el nuestro es profano. Porque al hablar de crueldad, no aludo a las sombrías representaciones del arte religioso del fin de la Edad Media ni a las de la Contrarreforma en España: me refiero al arte moderno, desde el siglo XVIII hasta nuestros días. Sade es único y lo es porque en esta materia el Occidente ha sido único. La relación entre *no-cuerpo* y *cuerpo* asume en las obras eróticas europeas la forma: *tortura* y *orgasmo*. La muerte como espuela del placer y como señora de la vida. De Sade a la *Histoire d'O* nuestro erotismo es un himno fúnebre o una pantomima siniestra. En Sade, el placer desemboca en la insensibilidad: a la explosión sexual sucede la inmovilidad de la lava enfriada. El cuerpo se vuelve cuchillo o piedra; la materia, el mundo natural que respira y palpita, se transforma en una abstracción: un silogismo filoso que suprime la vida y acaba por degollarse a sí misma. Extraña condenación: se mata y así revive, para matarse de nuevo.

En regiones menos cargadas de agresividad que la novela erótica moderna, la violencia estalla con la misma energía aunque con menos crueldad fantástica. Por ejemplo, la pelea por el amor libre, la educación sexual, la abolición de las leyes que castigan las desviaciones eróticas y otras reivindicaciones de ese jaez. Lo que me escandaliza no es, claro está, la legitimidad de esas aspiraciones sino la expresión combativa y guerrera que adoptan. Los derechos del amor, la lucha por la igualdad sexual entre hombres y mujeres, la libertad de los instintos: ese vocabulario es el de la política y la guerra. Cierto, en todas las civilizaciones aparece la analogía entre el erotismo y el combate pero en ninguna, excepto en la nuestra, asume la forma de protesta revolucionaria. La lidia erótica es un juego, una representación para el indio o el chino; para el occidental la metáfora guerrera adquiere inmediatamente un sentido militar y político, con la consiguiente serie de proclamas, reglamentos, normas y deberes. Nada más lejos del combate cuerpo a cuerpo. El fanatismo de nuestros rebeldes es la contrapartida de la severidad puritana; hay una moral de la disolución como hay una moral de la represión y las dos agobian a sus creyentes con pretensiones igualmente exorbitantes.

Otro ejemplo: nuestra actitud ante la desviación sexual. La literatura china trata poco el tema del homosexualismo masculino y lo hace con ligereza; en cuanto al femenino, su actitud es más bien benévola. Más que un problema de moral es un asunto de economía vital: no es infame la cópula entre hombres; es nociva porque su práctica exagerada malogra la apropiación del precioso *ch'i* femenino. La literatura y el arte de la India son aún más parcos, aunque abundan las estampas eróticas con temas lesbianos. Es claro que ambas civilizaciones no ignoraron estas desviaciones. Si no las exaltaron como los griegos, los persas y los árabes, tampoco las persiguieron con la saña de Occidente. El "pecado nefando" es otra singularidad del cristianismo. En Delhi y otras ciudades y pueblos de Uttar Pradesh y Rajastán hay una secta de músicos y bailarines que recorren las calles y plazas vestidos de mujer. Son artistas ambulantes que ejercen, subsidiariamente, la prostitución masculina. Su presencia es frecuente y casi obligada en ceremonias de nacimientos y matrimonios, lo mismo entre los hindúes que entre los musulmanes. En la India victoriana de nuestros días —deformada por la doble herencia del puritanismo musulmán e inglés— nadie habla de ellos pero nadie prescinde de sus bailes y cantos cuando nace un hijo o alguien se casa en la familia. En Occidente los homosexuales tienden a ser vindicativos y sus ritos son algo así como reuniones de conspiradores y de conjurados. Otro hábito que en Oriente es visto más bien como un ejercicio de higiene física y psíquica, no como una abominación: la masturbación. Trátese de prácticas solitarias, heterosexuales u homosexuales, nuestro erotismo es re-formador y no, como debiera ser, con-formador. La discordia es el complemento del Accidente.

La historia del *cuerpo* en la fase final de Occidente es la de sus rebeliones. No creo que en ninguna otra época ni en ninguna otra civilización el impulso erótico se haya manifestado como una subversión pura o predominantemente sexual. Quiero decir: el erotismo es algo más que una mera urgencia sexual, es una expresión del signo *cuerpo*. Ahora bien, el signo *cuerpo* no es independiente; es una *relación* y siempre es un hacia, frente, contra o con el signo *no-cuerpo*. La rebelión de Occidente parece indicar que la disyunción entre los signos se ha extremado tanto que su relación tiende a desvanecerse casi del todo. La situación recuerda, en sentido inverso, la herejía cáthara con su énfasis en la castidad y su negación de la procreación. Ayer, tentativa de disolución del signo *cuerpo;* ahora, del *no-cuerpo*. ¿Pero desaparece realmente la relación? Tengo mis dudas, en uno y en otro caso. Por lo que toca a los cátharos, debe tenerse presente que, como en todas las religiones, había dos morales: la de los "creyentes" (laicos) y la de los "perfectos". Otro indicio: inclusive si no se ve a la poesía provenzal como una expresión cifrada del catharismo, según pretende Denis de Rougemont, sí es evidente la influencia de este movimiento en la concepción del "amor cortés". Pues bien, en este último no hay negación de ninguno de los dos signos: la ambigua exaltación del adulterio y de la dama ideal, el rito de la contemplación de la amada que se deja ver desnuda a condición de no ser tocada y esa suerte de idealización del *coitus reservatus* que era el *asang,*

119

afirman simultáneamente al *cuerpo* y al *no-cuerpo*.*
No podía ser de otro modo: el uno no vive sin el
otro. Sus uniones y separaciones son la sustancia
del erotismo, aquello que lo distingue de la mera
sexualidad. No hay erotismo sin referencia al *no-
cuerpo*, como no hay religión sin referencia al *cuerpo*. La sexualidad pura no existe entre los hombres
ni, probablemente, entre los animales superiores. Es
un mito humano —y una realidad entre las especies
inferiores y los vegetales. La función del erotismo,
en todas las sociedades, es doble: por una parte, es
una sublimación y una trasmutación imaginaria de
la sexualidad y así sirve al *no-cuerpo;* por la otra,
es una ritualización y una actualización de las imágenes y así sirve al *cuerpo*. El rito corporal está referido al *no-cuerpo*, como se ve en el tantrismo:
la imagen erótica, como todos sabemos por experiencia propia, está referida al *cuerpo*. En la imagen
el *cuerpo* pierde su realidad corpórea; en el rito, el
no-cuerpo encarna. La relación entre los dos signos
subsiste siempre, trátese de imágenes tradicionales
y de ritos colectivos o de fantasías individuales y
juegos privados. En consecuencia, si la nueva moral sexual carece efectivamente de referencia al *no-
cuerpo*, debe interpretarse como una nostalgia de
la vida animal, una renuncia a la cultura humana
y, en consecuencia, al erotismo. No es así, según
se verá. Es una moral: una nueva tentativa del *no-
cuerpo* por deslizarse en el cuerpo, disgregar su imagen y convertirlo en realidad abstracta. El catharismo fue la aversión al cuerpo por el espíritu; la
nueva moral sexual es una perversión del cuerpo
por el espíritu.

No es menos inquietante que la rebelión de los
sentidos adopte la forma de una reivindicación so-

* El *asang* era uno de los grados del "amor cortés" y consistía en que los amantes, desnudos, penetraban en el lecho
pero no llegaban a consumar el acto. (Cf. *L'Erotique des
Trobadours*, de René Nelli, Tolosa, 1963.) Para Nelli se trata
de una trasposición y una purificación de la "prueba de
amor" caballeresca. No debe descontarse, además y sobre
todo, la influencia oriental, ya sea por intermedio del mani-
queísmo cátharo o por contacto con la erótica árabe.

cial y política. Insertar al sexo en el catálogo de los derechos del hombre es tan paradójico como regular la copulación conyugal por las normas del buen gobierno. No obstante, hay una diferencia: el buen gobierno confuciano tendía a conservar la sociedad y estaba referido a una realidad a un tiempo natural e ideal: el cielo y su curso *(T'ien tao);* la sexualidad como derecho tiende a cambiar la sociedad y está referida a una realidad únicamente ideal, abstracta. Pedimos libertad sexual no en nombre del cuerpo, que no es sujeto de derecho, sino de una entidad ideal: el hombre. Los movimientos erotizantes de otras civilizaciones, tales como el taoísmo tardío y el tantrismo, fueron religiosos; en otros casos —el "amor cortés" y la pasión romántica son los ejemplos más próximos— nacieron y vivieron en las fronteras de la estética, la religión y la filosofía. En Occidente, desde el siglo xviii, el erotismo ha sido intelectual y revolucionario. Los filósofos libertinos fueron primordialmente ateos y materialistas, subsidiariamente sensualistas y hedonistas. Su erótica era la consecuencia de su materialismo y de su ateísmo, una parte de su polémica contra los poderes represivos de la monarquía y la iglesia. El combate entre los signos *cuerpo* y *no-cuerpo* se transformó en un debate y la lucha se desplazó de la esfera de las imágenes, los símbolos y los ritos a la de las ideas y las teorías. El tránsito de la religión a la filosofía y de la estética a la política fue el principio de la desencarnación del cuerpo. *Les cent vingt journées de Sodoma* son un tratado de filosofía revolucionaria, no un manual de buenas maneras sexuales como el *Kāmasūtra* ni una guía de la iluminación como el *Tantra Hevajra.* Los antiguos conocían las prácticas que describe Sade, de modo que lo realmente nuevo no consistió en recordar su existencia sino en transformarlas en opiniones: dejaron de ser abominaciones o ritos sagrados, según la civilización, para convertirse en ideas.

El fenómeno nuevo no es el erotismo sino la supremacía de la política. En el pasado se profesaban ideas religiosas y filosóficas pero no se tenían, en un sentido estricto, ideas políticas. La razón: la política no era una idea. La acción pública era materia de moral o de conveniencia: un arte, una técnica o un deber santo, como en la república romana. Todo esto poco o nada tenía que ver con la concepción de la política como teoría. A la inversa del pasado, nuestra política es fundamentalmente una teoría: una visión del mundo. El erotismo de Sade es una filosofía revolucionaria, una política: esgrime las prácticas aberrantes como un orador acumula en su discurso los agravios del pueblo contra el gobierno. Es cierto que entre los griegos la política era una actividad central, el atributo que distinguía al ciudadano no sólo del esclavo sino del bárbaro. Sólo que no era un método para cambiar al mundo. Su finalidad era individual y colectiva: en primer término, destacar frente a los otros por la persuasión del ejemplo virtuoso o la habilidad de la retórica y así ganar fama, conquistar renombre y, en suma, realizar el ideal del ciudadano; en segundo lugar, contribuir a la salud de la *polis,* cualquiera que sea el significado que quiera darse a salud y a *polis:* la independencia de la ciudad o su poderío, la libertad de los ciudadanos o su felicidad. En ninguno de los dos casos la política era una teoría. Las doctrinas políticas de Platón, Aristóteles y los estoicos no son una teoría del mundo sino la proyección de sus respectivas teorías en la esfera de la sociedad y el Estado. Para los enciclopedistas y, más tarde, para Marx, la teoría no sólo es inseparable de la práctica sino que ella misma, en tanto que teoría, es ya práctica, acción sobre el mundo. La teoría, *por serlo,* es política. En una sociedad como la china, preocupada ante todo por la preservación del orden social y la continuidad de la cultura —preocupaciones que, aunque parezcan serlo, no son exclusivamente políticas— la censura misma era una función imperial: el trono nombraba ministros y censores como un jardinero se sirve simultáneamente del abono y las tijeras. Así, la política formaba parte de la cosmología (la ley del cielo) y del arte de cultivar. En nuestra sociedad, la ciencia y la cultura son expre-

siones de las clases o de las civilizaciones: son historia y, en última instancia, política. Al decir que
para nosotros la política es una visión del mundo,
cometo una leve inexactitud: nuestra idea del mundo no es una visión sino un juicio y de ahí que sea
también una acción, una práctica. La imagen del
mundo o, más bien, *la idea del mundo como imagen,*
ha cedido el sitio a otra idea, a otra imagen: la de
la teoría revolucionaria. Nuestra idea del mundo es:
cambiar al mundo. Política es sinónimo de revolución.

Al tratar de traducir la palabra revolución, los
chinos no encontraron mejor expresión que *ko-
ming.** Ahora bien, *ko-ming* quiere decir "cambio
de mandato" y, por extensión, cambio de dinastía.
¿Mandato de quién? No del pueblo sino del Cielo.
El Mandato del Cielo *(T'ien ming)* significa que el
principio que rige a la naturaleza *(T'ien tao)* ha
descendido sobre un príncipe. En el *Libro de la
Historia,* el duque Chou dice: "El cielo causó la rui-
na de la dinastía Yin. Ellos perdieron el Mandato
del Cielo y lo recibimos nosotros, los Chou. Pero
no me atrevo a asegurar que nuestros descendientes lo conservarán." El método para conservar el
mandato es la virtud confuciana. Nada más lejos
de nuestras ideas democráticas y, asimismo, de la
concepción del derecho al trono por la ley de la sangre. Naturalmente esta doctrina despertó la oposición, no de los filósofos de la voluntad popular (no
los había), sino de los apologistas de la autoridad
imperial. La antigua China elaboró, como el otro
polo de la actitud asocial e individualista del taoísmo, una doctrina, el legalismo o realismo *(Fa-chia),*
que muy sumariamente puede reducirse a lo que
sigue: puesto que la relación entre los nombres y
las realidades que designan *(hsing-ming:* formas
y nombres) es cambiante y depende de las circunstancias, la teoría de las leyes inmutables del Cielo
(T'ien tao) no tiene aplicación en el arte de go-

* Cf. Joseph R. Levenson: *Confucian China and its Modern
Fate* (en el segundo volumen), Londres, 1964.

bernar a los hombres; incumbe al príncipe dar a
cada nombre un sentido unívoco y gobernar en consecuencia: al definir lo que es bueno y lo que es
malo, lo útil y lo nocivo al Estado, podrán aplicarse
con certeza los premios y los castigos. Han Fei Tzu
exhorta así a su señor: "Descarta la benevolencia
de Yen (monarca legendario) y olvida a la sabiduría de Tzu-Kung (discípulo de Confucio). Arma a
los estados de Hsü y Lu hasta que puedan encararse
a un ejército de diez mil carros de guerra y entonces
los de Ch'i y Ching no podrán manejaros, como ahora, según su gusto." * De este modo se rechazaba la
autoridad de la tradición —el sentido inmutable de
los nombres— y con ella la teoría del Mandato
del Cielo: la autoridad no tiene otro origen que el
príncipe, árbitro de los nombres y de los premios
y los castigos. La doctrina del Mandato del Cielo
afirma, por el contrario, que los nombres y los significados son inmutables: los que cambian son los
príncipes. Si la teoría justifica el cambio de régimen
e incluso obliga al hombre virtuoso a asesinar al
príncipe que viola su Mandato, impide al mismo
tiempo el cambio de sistema. Levenson comenta:
"*T'ien ming* doctrine really was an expression of
conflict with the emperor, though a burocratic, not
a democratic expression... a defence of gentry-lite-
rati in their conflict-collaboration with the emperor
in manipulating the state." Exactamente lo opuesto
a la doctrina de Saint-Just: al ejecutar a Luis XVI
se trataba sobre todo de herir de muerte al principio monárquico.

En Occidente, revolución no significa solamente
cambio de sistema (y no de gobierno) sino algo más
y nunca visto: cambio de la naturaleza humana. Lo
mismo en la sociedad medieval cristiana que en las
otras, la trasmutación del hombre era una operación
de índole religiosa; ni siquiera los filósofos, excepto
las filosofías religiosas como la platónica, se atrevie-

* Han Fei Tzu: *Basic Writings,* traducción de Burnon Watson, Columbia University Press, 1966. Cf. también: Arthur
Waley, *Three Ways of Thought in Ancient China,* Londres,
1939.

124

ron a intervenir en esta esfera. Pero el cristianismo, en su ocaso, transfirió la misión tradicional de todas las religiones a los partidos revolucionarios: ahora son ellos, no la gracia ni los sacramentos, los agentes de la trasmutación. Este desplazamiento coincide con otro en la esfera del arte y de la poesía. En el pasado, el fin primero y último del arte era la celebración o la condenación de la vida humana; a partir de los románticos alemanes y con mayor energía después de Rimbaud, la poesía se propone *cambiar la vida*. La revolución social y el arte revolucionario se convirtieron en empresas religiosas o, al menos, que la antigüedad consideró siempre como la jurisdicción exclusiva de la religión. En este reparto de los despojos de la religión, la revolución se quedó con la ética, la educación, el derecho y las instituciones públicas: el *no-cuerpo*. El arte con los símbolos, las ceremonias, las imágenes: todo aquello que he llamado la encarnación de las imágenes y que es la expresión sublimada, aunque sensible, del signo *cuerpo*.

La rebelión de los sentidos, como parte del cambio general, se ha expresado a veces como reivindicación social y otras como rebelión poética —quiero decir: fusión de la poesía con la revuelta filosófico-moral y con el erotismo, según la concepción romántica y surrealista. Ésta es una de las facetas —más exactamente: una de las raíces— de la ambivalencia del arte moderno, desgarrado perpetuamente entre la expresión de la vida, ya sea para celebrarla o para condenarla, y la reforma de esa misma vida. Los artistas y poetas de la edad moderna coincidieron con los revolucionarios en la empresa de destrucción de las viejas imágenes de la religión y la monarquía pero no podían acompañarlos en la substitución de esos símbolos por meras abstracciones ideológicas. La crisis se inicia con los románticos alemanes, divididos entre su inicial simpatía por la Revolución francesa y su idealismo corporal y analógico. Debemos a Novalis algunas de las máximas más luminosas sobre el erotismo y las relaciones entre el cuerpo del hombre y el del cosmos; asimismo, es el autor de uno de los ensayos más reaccionarios de esa época: *Europa y la cristiandad.* El conflicto, lejos de atenuarse, se ha agudizado en los últimos cincuenta años. No es necesario recordar el drama del surrealismo, el suicidio de Mayakowski o el martirio moral de César Vallejo. Cuando el poeta peruano, en pleno "engagement" comunista, zahiere a los "obispos bolcheviques", no les reprocha tanto su arrogante y sectaria teología de funcionarios cuanto que no hayan podido transformar la idea de fraternidad proletaria en una verdadera comunión: un rito sin dios pero con sacramentos. Nostalgia del símbolo encarnado en la eucaristía.

Las dos revoluciones de Occidente, la francesa y la soviética,* entronizaron al signo *no-cuerpo* y en las dos éste se transformó en agente revolucionario y en pedagogo de la sociedad. Así pudo sublimar y moralizar a la rebelión de los sentidos. En sus formas más radicales, la transformó en lucha por los derechos eróticos, sea de la mujer o de las minorías sexuales. En sus expresiones moderadas, la canalizó: acción en favor de la educación sexual y la higiene, implantación de una legislación más racional del matrimonio monogámico y adopción de leyes de divorcio, supresión de las penas bárbaras contra las desviaciones eróticas y otras reformas similares. Nada de esto era ni es lo que piden los sentidos exasperados: piden imágenes, símbolos, ritos. Formas imaginarias y, no obstante, reales, de nuestros deseos y obsesiones; ceremonias en las que esas imágenes cobren cuerpo al fin, sin cesar de ser imágenes. El nuevo materialismo afirma, con el mismo énfasis que las antiguas religiones, que posee la llave del universo. Es posible que la tenga pero también es seguro que no ha podido darnos una imagen de este mundo ni de los otros. Su universo no tiene cuerpo y su materia es abstracta e incorpórea como una idea. Su ciencia nos dice cómo

* ¿Pero son realmente dos o la soviética no es sino la versión rusa de la revolución burguesa, como Iván el Terrible y Pedro el Grande lo fueron del absolutismo y el Estado nacional europeos?

funcionan los órganos genitales y nos ha enseñado más sobre esto que todos los *Kāmasūtras* y los Tratados del lecho. En cambio, no nos ha dado una erótica: en sus manuales las palabras placer e imaginación han sido substituidas por orgasmo y salud. Sus recetas son técnicas para conservar el poder genésico, regular el nacimiento de los hijos, limpiar nuestra psiquis de las telarañas del miedo, exorcisar los fantasmas del padre y la madre. Nos enseñan a ser normales, no a enamorarnos ni apasionarnos. Nada más lejos de un arte de amar. Al explicarnos como está hecho el cuerpo y como funciona, anulan su imagen. A todo esto hay que agregar la boga de los deportes, que ha introducido una confusión entre vigor y belleza, destreza física y sabiduría erótica. No es extraña la reacción juvenil de nuestros días, con su predilección por los trajes vistosos, los adornos fantásticos, los peinados decadentes o salvajes, los afeites y aún el desaseo personal. Es mejor oler mal que usar el agua de colonia que anuncia la televisión... Libertad gris de la sociedad industrial, falsa libertad que hace de la pasión una higiene. Las posiciones de los cuerpos en el *Kāmasūtra* se recortan sobre un paisaje imaginario, el "décor" convencional de la poesía *kāvya;* el telón de fondo de las descripciones de la erotología contemporánea es chabacano cuando no es macabro.

No todo es higiene y "confort" en la sociedad industrial desarrollada. Aparte de que faltan la fantasía y la voluptuosidad, hay también la degradación del cuerpo. La ciencia lo redujo a una serie de combinaciones moleculares y químicas; el capitalismo a un objeto de uso, como los otros que producen las industrias. La sociedad burguesa ha dividido al erotismo en tres dominios: uno, el peligroso, regido por el código penal; otro por el ministerio de salud y bienestar social; y el tercero por la industria de espectáculos. El orgasmo es la meta universal —una de tantas de la producción y más rápida y efímera que las otras. La ética protestante sublimó el excremento; el capitalismo ha introducido el principio de la producción racional en materia erótica. En los países comunistas la vieja moralidad cristiana ha cedido el sitio a una suerte de neo-confucianismo menos letrado y más obtuso que el de los Ch'ing. Al hablar del puritanismo soviético me refiero al periodo relativamente tolerante inaugurado por Jruschev. En los tiempos de Stalin el régimen conoció un terror no menos irracional que el del Accidente: la Desviación política. Sólo que el terror del Accidente ha sido hasta ahora más bien de orden psicológico en tanto que el de la Desviación pasó inmediatamente a la vía de los hechos: ¿cuántos millones murieron en los "campos de reeducación por el trabajo" y en la colectivización, para no hablar del millón de ejecutados durante las purgas? Es útil recordar esto de tiempo en tiempo porque el hombre —sobre todo el intelectual y especialmente el intelectual de izquierda, enamorado de los sistemas— es un animal de poca memoria. La primera regla de una educación realmente libre sería inspirar a la niñez la repugnancia por todas las doctrinas de "felicidad obligatoria". Sus paraísos están cubiertos de patíbulos... En la primera mitad del siglo xx, no contento con adoptar las maneras neutras de la ciencia y aplicar a la sexualidad los métodos eficaces de la producción industrial en serie, el signo *no-cuerpo* se revistió de su antiguo traje de verdugo e intervino en la política, a veces como ejecutor del Tercer Reich y otras como Comisario del pueblo.

Perseguido por los idólatras de la abundancia y por los revolucionarios, el signo *cuerpo* se refugió en el arte. Los restos del cuerpo: una forma desfigurada por la represión y la cólera, martirizada por el sentimiento de culpa y la ironía. Las deformaciones de la figura humana, en el arte del pasado, eran rituales; en el nuestro son estéticas o psicológicas. Ejemplo de lo primero: el racionalismo agresivo del cubismo; y de lo segundo, la no menos agresiva emotividad del expresionismo. Es la subjetividad —racional, sentimental o simplemente irónica pero siempre culpable— que se venga. No olvido que, desde Rousseau y Blake, hay una línea secreta de exaltación del cuerpo que llega hasta nuestros días;

tampoco olvido que cada vez que aparece en la superficie histórica, es reprimida o absorbida por la ética-estética imperante. La verdad es que el arte contemporáneo no nos ha dado una imagen del cuerpo: es una misión que hemos confiado a los modistas y a los publicistas. No se trata, por supuesto, de un defecto del arte actual sino de una carencia de nuestra sociedad. El arte revela, celebra o consagra la imagen del cuerpo que cada civilización inventa. Mejor dicho, la imagen del cuerpo no se inventa: brota, se desprende como un fruto o un hijo del cuerpo del mundo. La imagen del cuerpo es el doble de la del cosmos, la respuesta humana al arquetipo universal no-humano. Cada civilización ha visto al cuerpo de una manera distinta porque cada una tenía una idea distinta del mundo. Cuerpo y mundo se acarician o se desgarran, se reflejan o se niegan: las vírgenes de Chartres sonríen como las muchachas cretenses pero su sonrisa es distinta: sonríen con otro mundo —con el otro mundo. Lo mismo sucede con la actitud reflexiva del poderoso Bodisatva de Mathura o con la blancura desgarrada del San Sebastián de Mantegna, cubierto de flechas. El universo se desdobla en el cuerpo, que es su espejo y su criatura. Nuestra época es crítica: deshizo la antigua imagen del mundo y no ha creado otra. Por eso no tenemos cuerpo. Arte de la desencarnación, como en Mallarmé, o arte hilarante y escalofriante como en la pintura de Marcel Duchamp. La última imagen de la Virgen cristiana, la dama ideal de los provenzales y la Gran Diosa de los mediterráneos es *La Mariée mise à nu par ses célibataires, même*. El cuadro está dividido en dos partes: arriba la diosa, convertida en un motor; abajo sus adoradores, sus víctimas y sus amantes —no Acteón, Adonis ni Marte sino nueve fantoches uniformados de policías, porteros de hotel y curas. El semen, la esencia vital de los taoístas, vuelto una suerte de gasolina erótica, que se incendia *antes* de tocar el cuerpo de la Novia. Del rito al juguete eléctrico: una bufonería infernal.

La idea de revolución fue la gran invención de

Occidente en su segunda fase. Las sociedades del pasado no tuvieron realmente revoluciones sino *koming*, cambios de mandato y dinastía. Aparte de esos cambios, experimentaron profundas transformaciones: nacimientos, muertes y resurrecciones de religiones. En esto también nuestra época es única. Si esta segunda fase de Occidente toca a su término, como afirman muchos y como nos lo dice la realidad misma que todos vivimos, el indicio más claro de la proximidad del fin es lo que, proféticamente, Ortega y Gasset llamó "el ocaso de las revoluciones". Es verdad que nunca habíamos tenido tantas; también lo es que ninguna de ellas se ajusta a la concepción occidental de lo que es una revolución. Esto es capital porque, asimismo, ninguna otra sociedad había hecho de la revolución su ideal central. Como los primeros cristianos en espera del Apocalipsis, la sociedad moderna aguarda, desde 1840, la llegada de la Revolución. Y la revolución llega: no la esperada, sino otra, siempre otra. Ante esta realidad inesperada y que nos defrauda, los teólogos especulan y tratan de mostrar, a la manera de los mandarines confucianos, que el mandato del cielo (la idea de revolución) es el mismo: lo que ocurre es que el príncipe (la revolución concreta) es indigno del mandato. Sólo que hay un momento en que la gente cesa de creer en las especulaciones de los teólogos. Eso es lo que ha empezado a ocurrir en la segunda mitad de nuestro siglo. Asistimos ahora al desenlace: la revolución contra la revolución. No es un movimiento reaccionario ni está inspirado por Washington: es la revuelta de los pueblos subdesarrollados y la rebelión juvenil en los países desarrollados. En ambos casos la idea de la revolución ha sido atacada en su centro mismo, tanto o más que la idea conservadora del orden.

Me he ocupado en otra parte de lo que no hay más remedio que llamar "el fin del periodo revolucionario de Occidente".* Aquí sólo repetiré que la idea de Revolución —en la acepción estricta de esta

* *Corriente alterna* (tercera parte: *Revuelta, revolución, rebelión*, etc.) México, 1967.

palabra, tal como ha sido definida por el pensamiento moderno— está en crisis porque su raíz misma, su fundamento, también lo está: la concepción lineal del tiempo y de la historia. La modernidad secularizó al tiempo cristiano y entre la tríada temporal —pasado, presente y futuro— coronó al último como la potencia rectora de nuestras vidas y de la historia. Desde el siglo xviii el futuro ha reinado en Occidente. Hoy esta idea del tiempo se acaba: vivimos la decadencia del futuro. Por esto es un error considerar a las agitaciones sociales contemporáneas como expresiones del (supuesto) proceso revolucionario en que se ha hecho consistir la historia. Aunque estos trastornos han sido extraordinariamente violentos y probablemente lo serán todavía más en lo porvenir, no corresponden de ninguna manera a las ideas que tirios y troyanos, de Chateaubriand a Trotski, habían elaborado sobre lo que es o debe ser una Revolución. Al contrario, todos estos cambios, empezando por el de Rusia y sin excluir a los de China y Cuba, desmienten las previsiones de la teoría: ninguno de ellos ha ocurrido en donde debería haber sucedido ni sus protagonistas fueron los que deberían haber sido. Perversa obstinación de la realidad: otros lugares, otras clases y fuerzas sociales, otros resultados. Estos acontecimientos, cualquiera que sea su significación última, desmienten a la idea lineal de la historia, esa noción del transcurso humano como un proceso dueño de una lógica —o sea: un verdadero *discurso*.

La idea de proceso implica que las cosas suceden unas detrás de otras, ya sea por saltos (revolución) o por cambios graduales (evolución). Proceso es sinónimo de progreso porque se piensa que todo cambio se traduce, a la larga o a la corta, por un avance. Ambos modos del suceder, el revolucionario y el evolutivo, corresponden a una visión de la historia como marcha hacia... no se sabe exactamente hacia dónde, excepto que ese *donde* es mejor que el de ahora y que está en el futuro. La historia como continua, inacabable colonización del futuro. Hay algo infernal en esta visión optimista de la historia; la filosofía del progreso es realmente una teoría de la condenación del hombre, castigado a caminar perpetuamente y a sabiendas de que nunca llegará a su destino final. Las raíces de esta manera de pensar se hunden en el sentimiento judeo-cristiano de la culpa y su contrapartida mítica es la expulsión del Edén original que relata la Biblia. En el jardín paradisiaco brillaba un presente sin mácula; en los desiertos de la historia el único sol que nos guía es el huidizo del futuro. El sujeto de esta continua peregrinación no es una nación, una clase o una civilización sino una entidad abstracta: la humanidad. Como el sujeto histórico "humanidad" carece de sustancia, no se presenta nunca en persona: actúa por medio de sus representantes, este o aquel pueblo, esta o aquella clase. Persépolis, Roma o Nueva York, la monarquía o el proletariado, *representan* a la humanidad en un momento u otro de la historia como un diputado representa a sus electores —y, asimismo, como un actor a su personaje. La historia es un teatro en el que un personaje único, la humanidad, se desdobla en muchos: siervos, señores, burgueses, mandarines, clérigos, campesinos, obreros. La gritería incoherente se resuelve en diálogo racional y éste en un monólogo filosófico. La historia es discurso. Pero las revueltas del siglo xx han violado tanto las reglas de la acción dramática como las de la representación. Por una parte, irrupciones imprevistas que trastornan la linealidad histórica: lo que debería haber pasado no ha ocurrido y lo que debió pasar después, pasa ahora mismo; por la otra, si los campesinos chinos o los revolucionarios latinoamericanos son hoy los representantes del sujeto "humanidad": ¿a quién o qué representan los obreros norteamericanos y europeos, para no hablar del mismísimo proletariado ruso? Uno y otros, sucesos y actores, desmienten el texto de la pieza. Escriben otro texto —lo inventan. La historia se vuelve improvisación. Fin del discurso y de la legibilidad racional.

A las rupturas del orden lineal corresponden lo que podría llamarse *la inversión de la causalidad histórica*. Daré un ejemplo. Se suponía que la revolución sería la consecuencia de la contradicción insalvable entre las fuerzas de producción creadas por el capitalismo y el sistema de propiedad capitalista. La oposición fundamental era: producción social industrial/propiedad privada capitalista. Esta oposición real, material, podía expresarse como una dicotomía lógica entre la razón (producción social industrial) y la sinrazón (propiedad privada capitalista). El socialismo sería así el resultado del desarrollo económico de la era industrial y, simultáneamente, el triunfo de la razón sobre la irracionalidad del sistema capitalista. La necesidad (la historia) poseía el rigor de la lógica, era razón encarnada. Asimismo, historia y razón se identificaban con la moral: el socialismo era la justicia. Por último: historia, razón y moral se resolvían en progreso. Pero las revueltas modernas, sin excluir a la rusa, no han sido la consecuencia del desarrollo económico sino precisamente de la ausencia de desarrollo. Ninguna de ellas estalló porque existiese una contradicción insalvable entre el sistema de producción industrial y el sistema de propiedad capitalista. Al contrario: en esos países la contradicción atravesaba por su fase inicial y, por tanto, era social e históricamente productiva. Los resultados de esos movimientos fueron también paradójicos. En Rusia (me serviré del ejemplo soviético por ser el más claro) se saltó de un incipiente capitalismo industrial al sistema de propiedad estatal. Al suprimir la etapa de la libre concurrencia, se evitó el desempleo, los monopolios y otras calamidades del capitalismo. Al mismo tiempo, se pasó por alto, literalmente, la contrapartida política y social del capitalismo: el sindicalismo libre y la democracia. Ahora bien, si no fue una consecuencia del desarrollo, el socialismo ha sido un método para impulsarlo. Por tanto, no ha tenido más remedio que aceptar la ley férrea del desarrollo: el ahorro, la acumulación de capital (llamada, púdicamente: "acumulación del capital socialista"). Toda acumulación entraña expropiación de la plusvalía y explotación de los trabajadores; la diferencia entre la acumulación capitalista y la "socialista" ha sido que, en el primer caso, los obreros pudieron asociarse y defenderse en tanto que en el segundo, por la ausencia de instituciones democráticas, fueron (y son) explotados con toda libertad por sus "representantes". El socialismo, que había dejado de ser sinónimo de razón histórica, también ha cesado de serlo de justicia. Ha perdido su dignidad filosófica y su halo moral. Las llamadas "leyes históricas" se han evaporado. En el mejor y más generoso de estos ejemplos (Cuba), la revuelta no es hija de la razón histórica sino que es una tentativa de la razón (moral) por imponerse sobre la irracionalidad de la historia... La racionalidad inherente al proceso histórico se revela al fin como un mito más. Mejor dicho: como una variación del mito del tiempo lineal.

La concepción lineal de la historia contiene una triple exigencia. La primera es la unidad de tiempo: un presente lanzado siempre hacia el futuro. La segunda es una trama única: la historia universal, se considere a ésta como la manifestación del Absoluto en el tiempo, la expresión de la lucha de clases o cualquiera otra hipótesis semejante. La tercera es la acción continua de un personaje también único: la humanidad y sus máscaras sucesivas y transitorias. Las revueltas y rebeliones del siglo xx han revelado que el personaje de la historia es plural y que es irreductible a la noción de lucha de clases tanto como a la sucesión progresiva y lineal de civilizaciones (los egipcios, los griegos, los romanos, etc.). La pluralidad de protagonistas ha mostrado, además, que la trama de la historia también es plural: no es una línea única sino muchas y no todas ellas rectas. Pluralidad de personajes y pluralidad de tiempos en marcha hacia muchos *dondes,* no todos situados en un futuro que se desvanece apenas lo tocamos. El ocaso del futuro es un fenómeno que se manifiesta, naturalmente, ahí donde brilló como un verdadero sol: la sociedad occidental moderna. Daré dos ejemplos de su declinación: la crisis de la noción de *vanguardia* en la esfera del arte y la violenta irrupción de la sexualidad. La forma extrema de la modernidad en arte es la destrucción del objeto; esta tendencia, que se inició como una crítica de la noción de "obra de arte", culmina ahora en una negación de la noción misma de arte. El círculo se cierra, el arte deja de ser "moderno": es un presente instantáneo. En cuanto a la sexualidad y al tiempo: el cuerpo nunca ha creído en el progreso, su religión no es el futuro sino el hoy. La emergencia del presente como el valor central es visible en muchas zonas de la sensibilidad contemporánea: es un fenómeno ubicuo. No obstante, se dibuja con mayor nitidez en el movimiento de rebeldía juvenil. Si la revuelta de las naciones subdesarrolladas niega las previsiones del pensamiento revolucionario sobre la lógica de la historia y sobre el sujeto histórico universal de nuestro tiempo (el proletariado), la rebelión juvenil destrona la primacía del futuro y desacredita los supuestos tanto del mesianismo revolucionario como del evolucionismo liberal: lo que apasiona a los jóvenes no es el progreso de la entelequia llamada humanidad sino la realización de cada vocación humana concreta, aquí y ahora mismo. La universalidad de la rebelión juvenil es el verdadero signo de los tiempos: *la señal del cambio de tiempo.* Cierto, esa universalidad no debe hacernos olvidar que el movimiento de la juventud tiene un sentido distinto en cada país: negación de la sociedad de abundancia y oposición al imperialismo, la discriminación racial y la guerra en los Estados Unidos y en Europa Occidental; lucha por una sociedad democrática, contra la opresión de las burocracias comunistas y contra la ingerencia soviética, en los países "socialistas" del Este europeo; oposición contra el imperialismo yanqui y los opresores locales, en América Latina.* Pero estas diferencias,

---

* Aclaro que la rebelión juvenil de México tiene características un tanto diferentes a las del resto de América Latina. En México se trata, más que nada, de una reforma del sistema político inaugurado hace cerca de cuarenta años, después del periodo violento de nuestra Revolución, por el Partido Nacional Revolucionario que ahora se llama, significativamente, Partido Revolucionario Institucional. La fundación de esta agrupación política obedeció a un compromiso entre las necesidades del desarrollo económico y el programa democrático del movimiento revolucionario. Ese compromiso pudo ser necesario en su origen; hoy no lo es. Debe agregarse

así como otras que no menciono porque no vienen al caso, no empañan el hecho decisivo: el estilo de la rebelión juvenil consiste en poner en entredicho a las instituciones y sistemas morales y sociales vigentes en Occidente. Todas esas instituciones y sistemas constituyen lo que se llama la *modernidad* por oposición al mundo medieval. Todas ellas son hijas del tiempo lineal y todas son negadas ahora. La negación no viene del pasado sino del presente. La doble crisis del marxismo y de la ideología del capitalismo liberal y democrático posee la misma significación que la revuelta del mundo subdesarrollado y la rebelión juvenil: son expresiones del fin del tiempo lineal.

Al crepúsculo de la idea de revolución corresponde la rapidez con que, a diferencia de las antiguas religiones, los movimientos revolucionarios se transforman en sistemas rígidos. La mejor definición que conozco de este proceso es de un guerrillero de Michoacán: "todas las revoluciones degeneran en gobiernos". La situación del otro heredero del cristianismo, el arte, no es mejor. Pero su postración no es consecuencia de la rigidez intolerante de un sistema sino de la promiscuidad de tendencias y maneras. El arte vive y muere de su enfermedad congénita: el estilo. No hay arte que no engendre un estilo y no hay estilo que no termine por matar al arte. Al insertar la idea de la revolución en el arte, nuestra época ha creado una pluralidad de estilos

que, incluso, se ha convertido en un obstáculo a la marcha pacífica del país. El régimen del PRI constituye la imposición de un "estado de excepción" —la dictadura de un partido único— en una situación de normalidad. Incrustada dentro del sistema de economía mixta y capitalista del país, la burocracia política mexicana ejerce una función de monopolio y usurpación del poder político y económico que es, hasta cierto punto, análoga a la de las burocracias comunistas del Este europeo, injertadas en la economía pública. La crisis del régimen mexicano se inició hace más de diez años y desembocará en el estancamiento forzado de la nación o en un cambio que equilibre el notable progreso económico con el muchísimo menos notable progreso en la distribución social de la riqueza y con el nulo avance en materia de participación política. Esto último fue lo que se propuso iniciar el movimiento estudiantil mexicano.

y pseudoestilos. Esta abundancia se resuelve en otra abundancia: la de estilos muertos apenas nacidos. Las escuelas proliferan y se propagan como una mancha fungosa hasta que su misma abundancia acaba por borrar las diferencias entre una y otra tendencia; los movimientos duran lo que duran los insectos: unas cuantas horas; la estética de la novedad, la sorpresa y el cambio se resuelve en imitación, tedio y repetición... ¿Qué nos queda? En primer término, el arma de los moribundos: el humor. Como dijo aquel poeta irlandés, Patrik Kavenagh, al médico que lo visitaba: "I'm afraid I'm not going to die..." Nos queda mofarnos de la muerte y así conjurarla. Nos queda volver a empezar.

En la rebelión juvenil me exalta, más que la generosa pero nebulosa política, la reaparición de la pasión como una realidad magnética. No estamos frente a una nueva rebelión de los sentidos, a pesar de que el erotismo no está ausente de ella, sino ante una explosión de las emociones y los sentimientos. Una búsqueda del signo *cuerpo* no como cifra del placer (aunque no debemos tenerle miedo a la palabra placer: es hermosa en todas las lenguas) sino como un imán que atrae a todas las fuerzas contrarias que nos habitan. Punto de reconciliación del hombre con los otros y consigo mismo; asimismo, punto de partida, más allá del *cuerpo,* hacia lo Otro. Los muchachos descubren los valores que encendieron a figuras tan opuestas como Blake y Rousseau, Novalis y Breton: la espontaneidad, la negación de la sociedad artificial y sus jerarquías, la fraternidad no sólo con los hombres sino con la naturaleza, la capacidad para entusiasmarse y también para indignarse, la facultad maravillosa —la facultad de maravillarse. En una palabra: el corazón. En este sentido su rebelión es distinta a las que la precedieron en este siglo, con la excepción de la de los surrealistas. La tradición de estos jóvenes es más poética y religiosa que filosófica y política; como el romanticismo, con el que tiene más de una analogía, su rebelión no es tanto una disidencia intelectual, una heterodoxia, como una herejía pasional, vital, libertaria. Cierto,

137

con frecuencia la ideología juvenil es una simplificación y una reducción acrítica de la tradición revolucionaria de Occidente, ella misma escolástica e intolerante. La infección del espíritu de sistema ha alcanzado a muchos grupos que postulan con arrogancia tesis autoritarias y oscurantistas como el maoísmo y otros fanatismos teológicos. Abrazar como filosofía política el "marxismo a la china" e intentar aplicarlo a las sociedades industriales de Occidente es, a un tiempo, grotesco y desolador. Pero no es la ideología de los jóvenes sino su actitud abierta, su sensibilidad más que su pensamiento, lo que es realmente nuevo y único. Creo que en ellos y por ellos despunta, así sea oscura y confusamente, otra posibilidad de Occidente, algo no previsto por los ideólogos y que sólo unos cuantos poetas vislumbraron. Algo todavía sin forma como un mundo que amanece. ¿O es una ilusión nuestra y esos disturbios son los últimos fulgores de una esperanza que se apaga?

Oír a cualquier actor o testigo presencial de la revuelta juvenil de mayo de 1968 en París es una experiencia que pone a prueba nuestra capacidad de juzgar con objetividad. En todos los relatos que he escuchado aparece una nota sorprendente: la tonalidad a un tiempo apasionada y desinteresada de la revuelta, como si la acción se confundiese con la representación: el motín convertido en una fiesta y la discusión política en una ceremonia colindante en un extremo con el teatro épico y en el otro con la confesión pública. El secreto de la fascinación que ejerció el movimiento sobre todos aquellos que, inclusive como espectadores, se acercaron a sus manifestaciones, residió en su tentativa por unir la política, el arte y el erotismo. Fusión de la pasión privada y la pasión pública, continuo flujo y reflujo entre lo maravilloso y lo cotidiano, el acto vivido como una representación estética, conjunción de la acción y su celebración. Reunión del hombre con su imagen: los reflejos del espejo resueltos en otro cuerpo luminoso. Experiencia de la verdadera conversión: no únicamente un cambio de ideas sino de sensibilidad; más que un cambio del ser, un *volver a ser*.

Una revelación social y psíquica que por unos cuantos días ensanchó los límites de la realidad y extendió el dominio de lo posible. El regreso al origen, al principio del principio: ser uno mismo al estar con todos. Recuperación de la palabra: mis palabras son tuyas, hablar contigo es hablar conmigo. Reaparición de todo aquello —la comunión, la transfiguración, la transformación del agua en vino y de la palabra en cuerpo— que las religiones reclaman como suyo pero que es anterior a ellas y que constituye la otra dimensión del hombre, su otra mitad y su reino perdido. El hombre, perpetuamente expulsado, arrojado al tiempo y en búsqueda de *otro* tiempo —un tiempo prohibido, inaccesible: el ahora. No la eternidad de las religiones sino la incandescencia del instante: consumación y abolición de las fechas. ¿Cuál es la vía de entrada a ese presente? André Breton habló alguna vez de la posibilidad de insertar en la vida moderna un *sagrado extrarreligioso,* compuesto por el triángulo del amor, la poesía y la rebelión. Ese *sagrado* no puede emerger sino del fondo de una experiencia colectiva. La sociedad debe manifestarlo, encarnarlo, vivirlo y, así, vivirse, consumarse. La revuelta como camino hacia la Iluminación. Aquí y ahora: salto a la otra orilla.

Nostalgia de la Fiesta. Pero la Fiesta es una manifestación del tiempo cíclico del mito, es un presente que regresa, en tanto que nosotros vivimos en el tiempo lineal y profano del progreso y de la historia. Tal vez la revuelta juvenil es una Fiesta vacía, el llamamiento, la invocación de un acontecimiento siempre futuro y que jamás se hará presente —jamás será. O tal vez es una conmemoración: la Revolución no aparece ya como la elusiva inminencia del futuro sino como un pasado al que no podemos volver y tampoco abandonar. En uno u otro caso no está aquí, sino allá, siempre allá. Poseída por la memoria de su futuro o de su pasado, por lo que fue o lo que pudo ser —no, no poseída: deshabitada, vacía: huérfana de su origen y de su futuro— la sociedad los mima. Al mimarlos, los exorcisa: durante unas semanas se niega a sí misma en las blasfemias y los sacrilegios de su juventud para luego afirmarse más completa y cabalmente en la represión. Magia mimética. Víctima ungida por el prestigio ambiguo de la profanación, la juventud es el chivo expiatorio de la ceremonia: en ella, después de haberse autoprofanado, la sociedad se castiga a sí misma. Profanación y castigo simbólicos: todo es una representación inclusive si, como ocurrió el 2 de octubre de 1968 en la Plaza de Tlatelolco en México, la ceremonia moderna evoca (repite) el rito azteca: varios cientos de muchachos y muchachas inmolados, sobre las ruinas de una pirámide, por el Ejército y la Policía. La literalidad del rito —la realidad del sacrificio— subrayan atrozmente el carácter irreal y expiatorio de la represión: el régimen mexicano castigó en los jóvenes a su propio pasado revolucionario. Pero no es ésta la ocasión para tratar el caso de México... Lo que me interesa destacar ahora es un fenómeno no menos universal que la revuelta de estudiantes: la actitud de la clase obrera y de los partidos que la representan o dicen representarla.

En todos los casos y en todos los países los obreros no han participado en el movimiento, excepto como aliados momentáneos y a *contre-cœur*. Indiferencia difícilmente explicable, salvo si aceptamos una de estas dos hipótesis: o la clase obrera no es una clase revolucionaria o la revuelta juvenil no se inscribe dentro del cuadro clásico de la lucha de clases (apenas sería uno de sus epifenómenos). En verdad, estas dos explicaciones son una y la misma: si la clase obrera (ya) no es revolucionaria y, no obstante, lejos de atenuarse, se agudizan los conflictos y las luchas sociales; si, además, el recrudecimiento de estas luchas no coincide con una crisis económica sino con un periodo de abundancia; si, por último, no ha aparecido una nueva clase mundial y explotada que substituya al proletariado en su misión revolucionaria... es evidente que la teoría de la lucha de clases no puede dar cuenta de los fenómenos contemporáneos. No es que sea falsa: es insuficiente y debemos buscar otro principio, otra explicación. Algunos me dirán que los países subdesarrollados son el nuevo proletariado. Casi es ocioso replicar: ni es nuevo el fenómeno de la dependencia colonial (Marx lo conoció) ni esos países constituyen una clase; por tal razón y, asimismo, por su heterogeneidad social, económica e histórica, no tienen ni pueden elaborar programas y planes universales como los de una clase, un partido o una iglesia internacionales. En cuanto a la juventud: ninguna argucia dialéctica o artificio de la imaginación podrá transformarla en una clase social. De ahí que, desde el punto de vista de las doctrinas revolucionarias, lo que resulta realmente poco explicable es la actitud de los jóvenes: nada tienen que ganar, ninguna filosofía los ha nombrado agentes de la historia y no expresan a ningún principio histórico universal. Extraña situación: son ajenos al drama real de la historia como el corderillo bíblico era ajeno al diálogo entre Jehová y Abraham. La extrañeza desaparece si se advierte que, como la totalidad del rito, la víctima es una representación, mejor dicho: una hipóstasis de las antiguas clases revolucionarias.

El mundo moderno nació con la revolución democrática de la burguesía que nacionalizó y colectivizó, por decirlo así, a la política. Al abrir a la colectividad una esfera que hasta entonces había sido el dominio cerrado de unos cuantos, se pensó que la politización general (la democracia) tendría como consecuencia inmediata la distribución del poder entre todos. Aunque la democracia, por el artificio de los partidos y por la manipulación de los medios de información, se ha convertido en un método de unos pocos para controlar y atesorar poder, nos habitan los fantasmas de la democracia revolucionaria: todos esos principios, creencias, ideas y formas de vivir y sentir que dieron origen a nuestro mundo. Nostalgia y remordimiento. De ahí, probablemente, que la sociedad celebre costosos y a veces sangrientos rituales revolucionarios. La ceremonia conmemora una ausencia o, más exactamente, convoca, conjura y castiga, todo junto, a una Ausente. La

Ausente tiene un nombre público y otro nombre secreto: el primero es Revolución y alude al tiempo lineal de la historia; el otro es Fiesta y evoca al tiempo circular del mito. Son uno y el mismo: la Revolución que vuelve es la Fiesta, el principio del principio que regresa. Sólo que no vuelven realmente: todo es pantomima y, al otro día, ayuno y penitencia. Fiesta de la diosa razón —sin Robespierre ni guillotina pero con gases lacrimógenos y televisión. La Revuelta como orgía verbal, saturnal de lugares comunes. Náuseas de la Fiesta.

¿O la rebelión juvenil es un indicio más que vivimos un *fin de los tiempos*? Ya dije mi creencia: el tiempo moderno, el tiempo lineal, homólogo de las ideas de progreso e historia, siempre lanzado hacia el futuro; el tiempo del signo *no-cuerpo*, empeñado en dominar a la naturaleza y domeñar a los instintos; el tiempo de la sublimación, la agresión y la automutilación: nuestro tiempo —se acaba. Creo que entramos en otro tiempo, un tiempo que aún no revela su forma y del que no podemos decir nada excepto que no será ni tiempo lineal ni cíclico. Ni historia ni mito. El tiempo que vuelve, si es que efectivamente vivimos una vuelta de los tiempos, una revuelta general, no será ni un futuro ni un pasado sino un presente. Al menos esto es lo que, oscuramente, reclaman las rebeliones contemporáneas. Tampoco piden algo distinto el arte y la poesía, aunque a veces lo ignoren los artistas y los poetas. El regreso del presente: el tiempo que viene se define por un *ahora* y un *aquí*. Por eso es una negación del signo *no-cuerpo* en todas sus versiones occidentales, sean religiosas o ateas, filosóficas o políticas, materialistas o idealistas. El presente no nos proyecta en ningún más allá —abigarradas eternidades del otro mundo o paraísos abstractos del fin de la historia— sino en la médula, el centro invisible del tiempo: aquí y ahora. Tiempo carnal, tiempo mortal: *el presente no es inalcanzable, el presente no es un territorio prohibido.* ¿Cómo tocarlo, cómo penetrar en su corazón transparente? No lo sé y creo que nadie lo sabe... Tal vez la alianza de poesía y rebelión nos dará la visión. En su conjunción veo la posibilidad del regreso del signo *cuerpo:* la encarnación de las imágenes, el regreso de la figura humana, radiante e irradiante de símbolos. Si la rebelión contemporánea (y no pienso únicamente en la de los jóvenes) no se disipa en una sucesión de algaradas o no degenera en sistemas autoritarios y cerrados, si articula su pasión en la imaginación poética, en el sentido más libre y ancho de la palabra poesía, nuestros ojos incrédulos serán testigos del despertar y vuelta a nuestro abyecto mundo de esa realidad, corporal y espiritual, que llamamos *presencia amada.* Entonces el amor dejará de ser la experiencia aislada de un individuo o una pareja, una excepción o un escándalo. . . Por primera y última vez aparecen en estas reflexiones la palabra *presencia* y la palabra *amor.* Fueron la semilla de Occidente, el origen de nuestro arte y de nuestra poesía. En ellas está el secreto de nuestra resurrección.

Delhi, septiembre a octubre de 1968;
Pittsburgh y Chatham, julio a agosto de 1969

INDICE DE ILUSTRACIONES

INDICE GENERAL

Impreso en los talleres de
Editorial Muñoz, S. A.
Privada del Dr. Márquez 81
México 7, D. F.
Edición de 9 000 ejemplares
y sobrantes para reposición.
22-xii-1969

Nº   3282

Impreso y hecho en México
Printed and made in Mexico

Octavio Paz
CONJUNCIONES Y DISYUNCIONES

El título de este libro alude a las relaciones de
afinidad y oposición, unión y separación de dos
signos: el signo *cuerpo* y el signo *no-cuerpo*.
Cada sociedad tiene su manera propia y única de
concebir a esa realidad que nosotros llamamos
cuerpo, materia, naturaleza, y a esa otra realidad
que llamamos alma, espíritu, mente. La descripción
de las relaciones entre ambos signos se asemeja
a un cuadro de temperaturas de una sociedad, cuya
suerte depende en buena parte de tales relaciones
que no son ni pueden ser sino inestables —de ahí
las oscilaciones y cambios que experimentan las
civilizaciones. Nuestra sociedad es testigo de uno
de esos cambios: la rebelión del *cuerpo*. Tal es
el tema de la última parte de este ensayo; pero
antes su autor describe otras formas de asociación
de los signos *cuerpo* y *no-cuerpo*: el arte
cristiano medieval y el budista, el tantrismo y el
protestantismo, el taoísmo y el confucianismo.

De Octavio Paz (n. en México, 1914) Joaquín
Mortiz ha publicado *Salamandra* (1962), *Cuadrivio*
(1964), *Claude Lévi-Strauss o El nuevo festín de
Esopo* (1967), *Blanco* (1967) y *Ladera Este* (1969).